The Powerful Little Real Estate Book

(English and Spanish Edition)

Este libro contiene una traducción completa y precisa al español

ISBN 978-1-943650-41-5

Illustrations by Cliff McKie.

Edited by Dan Danser.

Spanish translation Cesco Linguistic Services
www.cescols.com

Library of Congress Control Number 2016960872

Published by BookCrafters, Parker, Colorado.
www.BookCrafters.net

Table of Contents

This book is dedicated to the millennial generation (Gen Y), those born in the 1980s and 1990s and to Gen Xers who have already started building their wealth and financial freedom.

Introduction

THANK YOU FOR YOUR INTEREST in real estate. This book is "powerful" because it gives you the essential points of residential real estate investing and creating financial wealth. It's "little" in volume. More detailed information can be obtained from any of the hundreds of "fat" books available in the library or downloadable from the Internet. This book refers you to websites for those who want more details on specific topics. If you have a strong interest in creating wealth through real estate, call on the experts in your community. Meet with them in person and discover for yourself the benefits and drawbacks of this business.

This book is not a "get rich quick" answer to financial problems. *The Powerful Little Real Estate Book* is about accumulating real wealth over time through the purchase of real estate. Many of us played Monopoly® as children. Think of investing in real estate like a game of Monopoly®. You buy property, improve it by adding houses and collect more rent. Your little salary for passing "Go" becomes insignificant compared to your rental income. But unlike Monopoly®, real life is not a game. It's your future.

Written in 1998, *The Powerful Little Real Estate Book* rested in the author's computer for over fifteen years. In 2017, the file was revisited, updated and retested to determine if the ideas were still valid. This book shows the references to some of the 1998 data in parentheses. Following the parentheses are the updated references. The strategies and ideas are time-tested and are still valid. Moreover, the foundation of economics and the importance of property ownership were first explained in *The Wealth of Nations*, by Adam Smith, published in 1776. In that book, written hundreds of years ago, you are either a master or a slave ... an owner or a renter. The same holds true today.

A little newer publication is *America 2020: The Survival Blueprint*, by Porter Stansberry, published in 2015. The first half of the book encourages people to invest in silver and gold. A precious metal investment would protect people from the devaluation of the dollar caused by excess printing of the U.S. currency. But then on page 98, Stansberry says, "So what is this incredible asset that has crushed stocks and gold? ...We're talking about **farmland**." In that book, "farmland" is in bold to emphasize its importance to wealth accumulation.

How to read this book

Read the book with Internet access close at hand. In that way, you can Google terms that are not familiar. You can verify the facts, find new and more in-depth information and plug your own personal information into the available online calculators.

You can also read this book with a negative attitude. You might think you can't make it in today's world, things have changed or you're not in a position to invest right now. Well, the world is always changing. Ask your parents. Talk with the old guys or gals in your town. Ask them what it was like back then. You'll discover it's better now than it was then. Consider that most people start with nothing. That's how the term "self-made-millionaire" was coined. You can do it. It starts with you.

Do you fit the profile for owning rental residential real estate? Should you be an owner of rental property? Are you in a position to become a landlord? Being the "Lord of the Land" should fit your personality and goals in life. If you answer "Yes" to most of the ten questions below, you fit the profile of a potential landlord.

Ten Yes / No Questions

I. Are you a resident of the United States? Yes / No

If you live in the United States, you are blessed with political stability relative to other countries. Property is more expensive in North America compared to South America but at least you won't lose your property from a change in government.. Compared to Europe, purchasing property in North America is very affordable. In addition to the purchase price of property, financing and terms must also be considered. Mortgages in Europe can have terms up to 100 years and people accumulate property by taking over the mortgages of their parents. In America, banks are willing to loan money, with or without good credit and sometimes without a down payment (VA Loans, 1st Time Buyers, etc.).

America seems to be the place people want to live. Why is America desirable? America has never had a king, royal family or dictator. Our country is new compared to Asia and Europe. It has a lot of freedoms. People will continue to move here. America is the place to live. In our lifetime there will always be a demand for housing.

http://data.worldbank.org/indicator/SP.POP.GROW

According to the Pew Research Center, immigration will account for 88 percent of the U.S. population growth over the next 50 years. Immigration is the single factor that sustains America as a prosperous country and a good place to invest.

II. Are you between 20 to 50 years old?
Yes / No

The earlier in life you begin to "buy and hold" real estate, the better off you'll be. Why? It takes time for property to *appreciate* and for inflation to increase the price of real estate. Buy your first property when you're young. Then buy another a few years later and so on. By the time you're 45, you could have nine or ten rentals, a few condos plus the home in which you live. By the time you're 45, most of the properties can be "free and clear" or almost paid off. In addition, the rents would have increased at approximately the rate of inflation. If you start buying properties later in life, in your 60s, you may still be working to pay them off into your 80s, if you live that long.

III. Would you consider real estate investing as a second job? Yes / No

In *The Powerful Little Real Estate Book*, we recommend you have a "real job" that provides all your income for normal living expenses plus a little extra to invest. If your real job does not provide enough income, there are four things you can do:

1. Make more money: This means get a promotion, change jobs, get a second or third job. This will bring in more money, but has

the disadvantage of added stress and paying more taxes.

2. Pay less tax: You can take your taxes to three different accountants and they will compute them three different ways. Each might result in a different amount due to the IRS. However, all accountants can and will use mortgage interest deductions, depreciation, and the expense of repairs and improvements to lower your tax burden. When you sell rental properties and invest that money in other rental properties through a 1031 Exchange, you defer taxes from the sale of that investment property. Profits from the sale of your primary residence are exempt up to a limit. If you have a gain from the sale of your primary residence, you can exclude up to $250,000 of the gain from your income ($500,000 on a joint return in most cases). Certainly Congress can change this law at any time, but sell any other investment now and you must pay taxes on the profit.

http://www.bizfilings.com/toolkit/sbg/tax-info/
fed-taxes/know-tax-impact-when-disposing-capital-
assets.aspx

3. Make better investments/save: Invest in what you like. Many people like real estate because it has utility. You can live in it or rent out part of the property after you purchase it for

extra income. You can sometimes purchase it for no down payment (e.g., seller carrying the down payment). Let's take an example of 5% down. That's a leverage ratio of 1:20. That means you invested "X" dollars as a down payment for a property costing "20 times X" and the bank loans you "19 times X." A down payment of $10,000 gets you a $200,000 asset. If the property appreciates 6% ($12,000) in a year, the return on your investment is 120% ($12,000 ÷ $10,000 which was your down payment put into the property). The law allows you to purchase stocks at a leverage of 1:2. Invest $10,000 in stock with a leverage of 2X and your investment will be $20,000. Using the same 6% growth (6% x $20,000 = $1,200 profit). The $1,200 ÷ $10,000 = 12%. The same $10,000 invested in real estate returns 120% versus 12% on stocks.

What if the market turns down on both real estate and stocks while you are leveraged? With stocks, the broker can "call" demanding that you add additional money.

With real estate, the mortgage company does not call for more equity.

4. Spend Less: Many books have been written on how to spend less. For the little things, make a budget, use your will power to not spend, have the morning coffee at home or take a lunch to work. On the bigger

items: resist getting the largest home you can buy. Consider having fewer children than past generations. Drive a fuel-efficient car and keep it twice as long. Put money aside before you spend your paycheck.

IV. Do you think you can "buy and hold" income property? Yes / No

Fortunately, in America, one can still buy property. Approximately sixty-five percent of Americans are homeowners. America's east and west coasts are more populated, so properties are often more expensive than in the central U.S. Away from the coast, one can still buy a house on acreage for less money than coastal properties. In many countries, particularly in the urban areas, you simply cannot buy property because prices are prohibitive or there just isn't enough land left to sell.

Amazingly, only 14% of Americans own rental property. Why the other 86% of property owners do not own rentals is because of FEAR: False Evidence Appearing Real.

Here are typical FEARs of potential landlords. "What if someone trashes the property?" You have insurance that covers damages. You can also get insurance to cover lost rent. Ask your agent for a "Landlord Policy" instead of a "Homeowner Policy." The landlord policy also covers liability for slip and fall situations. "I don't want that hassle!" For that, you hire a professional property manager. Another FEAR is "I don't want to get calls late at night from a tenant!" No landlord wants unexpected calls. One strategy is to allow responsible tenants to call an appropriate vendor if there is a problem. Or hire a property manager.

A fourth dominant FEAR is "We need the equity out of our principal residence to buy another. We can't afford to buy a rental property." If you are upgrading to an $800,000 home from a $400,000 home, then yes, you most likely will need to sell your current property. If you are implementing the strategy in *The Powerful Little Real Estate Book*, you would look for a $500,000 home that can be purchased with 5% down from your savings or equity from your home. Rent your $400,000 property and collect rental income that will cover the majority of that mortgage payment.

This section on FEAR can be expanded to hundreds of problems and situations that can and will go wrong. But as an owner of rental real estate, you only need a "good tenant" to solve most of them. A good tenant is someone who takes care of the property and pays the rent on time. Is there anything else that is needed other than a good tenant? Yes. You need good property management skills acquired through experience or education. Read a book on property management, understand how to read a credit report, have a handyman on call, understand landlord/tenant laws in your state and, finally, know how to keep the books. With a good tenant, good management skills and a little bit of luck, you have the formula for success.

V. Do you want to build your asset base? Yes / No

Your motive to increase your financial standing may be based on plans for quitting the work force, building a college fund for the kids, retirement, ego, or just to see if you can be wealthy in America. Anyone can be driven to get ahead and build a good balance sheet. We see this drive to "make it in America" more in first-generation American families. I mentioned first-generation immigrants because they seem to work harder, save more, seek higher education and get ahead faster than others. You only need to look at the motivated Pilgrims of 1620 or today's immigrants to prove this fact.

Balance Sheet	#1 is a "buy one home and pay it off" strategy #1 Buyer	#2 is a "buy, hold & accumulate real estate investment" strategy #2 Buyer
Cash in Bank	$15,000	$10,000 **
Retirement Plan	$150,000	$50,000 **
Auto	$35,000	$35,000
Home ($300,000)	$707,000***	$707,000 ***
Rentals*		$3,500,000****
Total Assets	$500,000	$2,895,000
After one year with 5% real estate appreciation:		
Real Estate	**$907,000**	**$4,302,000**

The chart above compares two balance sheets that show how home buying can build your assets. All properties are "free and clear" after 10 to 30 years. (Suggestion: Obtain a 10, 15 or 20-year mortgage if you can, instead of 30.)

Rental income, tax benefits from mortgage interest deductions, depreciation, write-offs for expenses and the owner's fractional contribution to the mortgage payments, pays for the rental properties.

You might ask, "How can this balance sheet be true?" Buyer 2 has the same job and similar family to buyer 1. The difference is that buyer 2 made up his/her mind to purchase rental properties and followed through with a plan. Once you have a goal, all the rest of the work is problem-solving and follow-through to get to the end result.

**	Lower cash and retirement balance shows use of this money to purchase real estate
***	3% increase on $300,000 for 30 years.
****	Estimated value of rental properties

A typical property gains, conservatively, 3% in appreciation per year (1% actual appreciation and 2% inflation). That's $9,000 on a primary residence that was valued at $300,000. The "real estate-based" balance sheet also increases 3% but increases more in dollar value than just a "Cash or Savings" based balance sheet. If you ever played Monopoly®, and we all have, you know you cannot get ahead buying just one property. Moreover, you can't stay in the game getting money from passing "Go" which is analogous to collecting one's salary. And, like the board game, you must invest in your properties to increase rents.

VI. Do you understand you should minimize your tax burden? Yes / No

If you don't own mortgaged properties, you will not get mortgage interest write-offs. Write-offs are legal deductions from your gross income that reduce the amount of tax you pay. For example, if you can write off $10,000 in mortgage interest and you're in the 30% tax bracket, you actually get $3,000 off your tax bill. Not being able to write off your rent payments motivates many renters to buy a home. You can write off the mortgage interest payments for all rental properties, not just your primary residence. The government gives you, the homeowner and landlord, a tax break for owning your home and for rentals.

When you buy another property, you can write off the mortgage interest on all property owned by you. Now you have two mortgage interest payment write-offs. Any expenses, capital improvements on a rental and closing costs are also write-offs. Let's say you had a good year at work and you grossed $100,000. If you're a renter, you'll pay taxes on that income. If you own a $300,000 home and paid $20,000 in mortgage interest (30% tax bracket) you would reduce the taxes you owe by $6,000. As you climb the corporate ladder, gain seniority and make more money, owning real estate can reduce your taxes significantly. Some people pay no taxes at all.

Note on Capital Gains: The tax rate for individuals on "long-term capital gains" (gains on assets that have been held for over one year before being sold) is lower than the ordinary income tax rate. In some tax brackets there is no tax due on such gains.

Have you noticed that big corporations purchase buildings? Other than being a good investment for appreciation, U.S. corporations are in a tax bracket of nearly

40%. That's a write-off along with their depreciation which lowers their taxable income.

While it's true you can use a mortgage interest deduction on your residence to reduce your taxes, you can only use depreciation (accounting write-off) on rental properties. Simply put, if you have $3,000 depreciation on a rental property in one year, in the 30% tax bracket, you can deduct $1,000 from your tax liability. Simple!

VII. Do you want financial freedom?
Yes / No

There are problems with financial freedom you cannot imagine until you have it. Financial freedom through real estate is much like winning the lottery. If you don't have to work 9-to-5 anymore, what do you do all day? All your friends are working during the week. You may not even be able to get a lunch date with a close friend because he or she does not have extra time during the day. The positive side of financial freedom is that it allows you to pursue adventures that may last a day, a week, a month or years. You can get up in the morning when you feel like it, read the paper when you want, train for a sporting event any time of the day, pursue a hobby or whatever. Owning real estate that is properly managed will give you a lot of free time. Properly managed real estate reduces your stress level, allows you to live a quality life and gives you extra income that beats the downward purchasing power pressure caused by inflation.

Inflation calculator:
http://www.usinflationcalculator.com

VIII. Would you enjoy early retirement? Yes / No

The notion of early retirement rarely occurs to a young person in his/her 20s or 30s. If you're older, you imagine retirement to mean giving up the 9-to-5 job and doing what you want. Retired does not mean, as the dictionary defines it, "withdrawn, secluded or put out to pasture." Almost everyone either works, volunteers or contributes to society after retirement. Schoolteachers, public servants, military personnel and others almost all pursue an active vocation after "retirement."

Using real estate investments as a source of retirement income is a better plan than most. It's a better plan because as rents increase over time, your income increases. With most other retirement plans, you are required to take money out at age 70½ and many stockbrokers advise you to do it even sooner to give you the income you need to cover living expenses. With rental property, you don't have to withdraw from the asset. Retirees on fixed incomes are often forced into a demeaning part-time job. Real estate is a much nicer way to retire. By retirement, your mortgages will probably be paid off and the monthly mortgage payment pressure is off.

This business also keeps you socially active. Owners of rental property interact with people, both tenants and service vendors. A few excerpts from tenants: "The toilet is blocked and we cannot bathe the children until it is cleared," "I request your permission to remove my drawers in the kitchen," or "Will you please send a man to look at my water, it is a funny color and not fit to drink." It can keep one entertained.

Handling rent checks, making deposits and paying bills also keeps your mind sharp. In short, it gives you something to do when you get older and brings in a lot of money for your retirement.

This last point may be lost on younger people reading *The Powerful Little Real Estate Book*. However, you will find that when your kids are grown with families of their own, you'll need something to keep you busy.

IX. Would you convert your home into a rental? Yes / No

The easiest way to become a landlord is to rent out a room in your primary residence. You will find room rentals or house sharing on the Internet. Renting part of your home is now a big business and easy to implement (www.CraigsList.org). House sharing is not new. It has been done for centuries and used to be called inn-keeping for travelers. You can rent out a room to longer-term tenants who would like to live in your neighborhood or rent short-term by the day or week. Caution! If you collect money from renters in the form of a check, the IRS can access your bank account during an audit of your tax returns. If you accept cash only, you can still be audited. Remember, you have neighbors. They can witness that you had renters and the IRS can charge you with tax fraud if you don't report all income. Never attempt to hide income or cheat the IRS.

You can start accumulating rentals many different ways. If you already have a primary residence, that home can become your first rental when you move. While I was in college, I purchased 10 acres of land and a 12' x 50' mobile home. During college, I had a tenant who paid half the mortgage. When I graduated and left the area, I rented the mobile home to two tenants. Since the mortgage was then covered by rental income, it was easy to qualify for another property. I then bought a 3-bedroom, 2-car garage property as a primary residence. Using the GI Bill, I qualified with a low down payment and low interest rate. With two purchasing experiences under my belt, the process became much easier. (Down payment amounts have changed so check with your bank and government programs.) Buying a property as a primary residence and moving in, even though you know it will be a rental next year, qualifies you for a lower interest rate. You can also obtain a 30-year residential loan instead of a 20-year commercial loan. Lower interest rates and longer-term loans result in a lower monthly mortgage payment.

When considering what to purchase, go

for the property most Americans prefer: detached house, at least three bedrooms, 1½ or 2 baths and a two-car garage. Some people invest in attached housing (condos, townhouses, patio homes) but those properties fluctuate in selling price as the housing market changes. Single-family homes appeal to a larger market and are easier to rent, sell and refinance.

X. Would you like to expand into multi-unit and commercial properties? Yes / No

Once you accumulate a few single-family homes, you will be ready to buy larger complexes if you want. The larger complexes can generate more profit on your initial investment. Apartment complexes comprised of 1, 2 or 3 bedroom units can also put you out of business in a short time if you overextend yourself financially. Remember, just as in Monopoly®, buying too many properties and leaving yourself with little cash might be the end of the game. When you are ready to buy big, you will have the knowledge from your single-family investments to guide you.

Some advice: Don't be greedy. Time is on your side. Don't pay too much for the property. Never sell, especially in a down market. Be very careful or don't buy at all when the interest rate is extremely low. That normally means the price is extremely high. The rule is "low interest rate means high housing prices." When the interest rate increases, prices will decrease. This is true because consumers look at the monthly payment to see what they can afford.

Be a considerate but firm landlord. Even the best tenant with a good credit score and a good job can fall on hard times. With experience, you will be able to distinguish a good tenant who has a true emergency and can't pay the rent from the other tenant who is avoiding you.

So, how did you do on the ten questions? I recommend you review the questions and ask, "Is this me?" For example: If you are 60 years old, forget it. You missed the opportunity. If you're young, go for it.

Real Property
as a Measure of Real Wealth

From early Roman times, now and forever, real estate is real. Once Roman soldiers finished their military service, they were given land as a reward. For centuries, an Englishman's wealth was measured by the size of his land holdings. In Western thinking, the concepts of material wealth come from this heritage. Wealth can be measured by the property you own. Property provides a place for people to live. Property can be rented out for others to live in. Property will not evaporate like stocks, bonds or other paper instruments. Google Black Friday 1869, Wall Street Crash 1929, Dot Com Bubble 2000, and other events to discover how investors can lose it all. As compared to certificates or stocks that may have no value in the future, property is "real." Property has utility, meaning you can live in your investment.

"Buy land. They ain't making any more of the stuff," said Will Rogers. The world's population has increased to over 7.4 billion people without any increase in the amount of land. Note that in 1950, the world population was 2.5 billion. The world population is estimated to increase to 9 billion by 2040. That means more people wanting a portion of that limited supply of land. Increase in demand means an increase in price. Also contributing to the increase in the price of land, residences, rental properties and rental income potential, is an increase in costs of building materials, inflation (you need more dollars to buy the same product), labor costs, etc. This underscores the principle of supply and demand. Over the next 10 to 15 years, this will cause real estate to increase in value at a significant rate.

Please put *The Powerful Little Real Estate Book* down for a minute and ask yourself, "How much did my grandparents pay for their home?" That home has probably increased three, four or maybe tenfold. Study the past and you will be able to foresee the future. No relatives close by? Median price of a home in 1965 was $20,000. In 2010, the median price was $220,000.

https://www.census.gov/const/uspricemon.pdf

Percent Change in House Prices Since 1980. The data below was captured during the boom in real estate. Home prices more than doubled in every area of the U.S. except one. Note that home prices can also decline. When they decline, don't sell.

New England	348%
Middle Atlantic	252%
South Atlantic	171%
East North Central	166%
West North Central	145%
East South Central	133%
West South Central	81%
Mountain	156%
Pacific Coast	238%

From 1998 to 2006 homes prices increased and then the market began to decline in 2007 to 2010. This period was called the "Housing Bubble of 2008." There is much written on this era, but basically the "real" price of real estate (price of real estate adjusted for inflation) was too high. I hope you did not sell during this declining period between 2007 and after 2011.

http://www.newyorkfed.org/home-price-index/

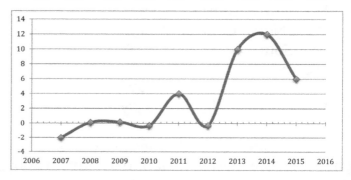

Year with percentage increase or decrease of home prices

2007	2008	2009	2010	2011	2012	2013	2014	2015
-2%	-11%	-17%	-0.3%	+4%	-0.3%	+10%	+12%	+6%

Understanding Leverage

The percentages above may lead you to think that your money would have only doubled or tripled in the last 20 years. With leverage, using 5% as a down payment, your investment growth, or rate of return, is actually far greater than 20 times. Although the value of a South Atlantic property increased 171%, your 5% investment would actually have increased 3,420%. Here's how it works: It's called "financial leverage." Google the term "leverage" for an understanding of how you can use this to your advantage. Then use OPM, "other people's money," normally acquired in the form of a mortgage loan from a bank.

Not convinced real estate is a good deal? Here's another question. Is it a good investment to own your own home? If it's beneficial to own one property and have it paid off in 15 years, why not own ten properties and have them paid off in 15 years? You pay off one property by paying the mortgage and let your tenants pay off the other nine properties through the rental income they pay to you. If you own ten properties long enough and the rental market goes up as it always has over a long time, your tenants will be paying off all of your rental mortgages for you.

The most remarkable thing about the people who invest in real estate is that they are people just like you. Teachers and fireman own more rental property than any other group of investors. Many teachers like to travel during their vacation time and own property in other areas purchased as a second home or future retirement home. Firemen have multiple days off at a time and tend to look for good deals in their local area on their days off. Both groups are very concerned about retirement. That's why they work in that profession. Both groups are investing and augmenting their retirement programs. Often, their rental income is more than their institutional retirement package. Did you know that when you travel to visit your rental property in another state, say Hawaii or Florida, that's a business write-off? A $1,000 round trip ticket, for example, actually costs you $700 if you're in the 30% tax bracket. Write-offs for hotel, food and transportation expense are also permitted if you're checking up on your rental properties.

Before we move to the "how to" of real estate, let's briefly discuss investments in stocks. The loss of stock value in the early 2000s will long be remembered along with the other crashes that seem to happen every ten years or so. But the loss of value is not new. As a personal example, this author invested $2,000 in 1974 only to discover the stock was delisted from the New York Stock Exchange. In 1982, this author invested in an Employee Stock Ownership Program. Total investment was $8,000. Total cash out in 1999 was $2,000. When you read about people losing a significant part of their money in the stock market, it's upsetting. When you lose your own money in the market, you feel like you were set up by some powers beyond your control. Millions of dollars can vanish overnight in a stock market controlled by algorithms and super computers.

The biggest problem with stock ownership is that you must sell as you age. When you're young, buy stocks. Stocks are riskier but potentially have a higher rate of return over bonds. When you near retirement, you should be out of stocks and into bonds. As you transition from stocks to bonds, commission is paid to the brokerage house as commission. That commission is coming from your profit. With real estate, you buy once when you are young, hold the asset and collect the rental income for life.

Here are a few thoughts on investing in precious metals. Precious metals such as gold and silver are often sold by the troy ounce. Many people don't realize that an ounce of gold and other precious metals are weighed in a different weighing system called "troy weights." A troy ounce is heavier than the typical ounce found at the grocery. So from the start, investing in metals is confusing.

Gold and silver investing is also very speculative with the price being controlled more by the power brokers than by supply and demand for the commodities. Google: Hunt Brothers Corner the Market.

The world may still value metals for their utility in electronic components, for their beauty in jewelry and their scarcity. The world has been moving away from gold-backed currency ever since 1971. The next time you give a $20,000 down payment on property, just give them a few pounds of gold.

For sure, the transaction will not proceed as planned. Or, would you rather just write a check, wire funds or offer cash? Precious metal investing is risky and cumbersome. It can be stolen from your property or taken from you as FDR, President of the United States, did in 1933 by Executive Order "forbidding the Hoarding of gold coin, gold bullion, and gold certificates within the continental United States."

It's a Game

Strategies about accumulating real estate you can learn from playing Monopoly® as a child. Did you ever sell Baltic Place to buy St. Charles Avenue? No. You started by having a little money at the beginning of the game. In real life, this is the money you earned in your part-time and full-time jobs. You purchased your first property, probably one of the less expensive after throwing the dice. So far, just like real life. You did not sell your first property but moved on and purchased another. Someone landed on your property and you collected rent. You saved as much rent as you could, collected a little play money from passing "GO" and bought more properties or improved the properties you already owned. You can charge more rent if the property is improved with additional Monopoly® houses. In real life, improving a property with amenities like hardwood floors, stainless steel appliances or granite counter tops will improve the rental income. What happened to your game when you got too aggressive or greedy? You lost. Same thing will happen in the real world.

Real life is like a game of Monopoly® except that it takes 15 to 30 years to benefit from your real estate investments. In Monopoly® there is only one winner. In real life, the winners are the people who own multiple real properties. As a general rule, you only need ten properties to retire comfortably. For example, ten residential homes "paid in full" might generate $1,500 to $2,000 per month per house in a 2016-year market. That's $20,000 per month income. You still need to pay the taxes, insurance and capital maintenance items. However, historical precedent shows that, as the years go by and rents increase, your income will increase faster than your property expenses, taxes and other costs.

This entire book can be simply outlined in these next statements: Buy a house, apply your down payment, bank invests bulk of money, find a renter, use rental income to pay the majority of the mortgage, continue until mortgage is paid off, repeat every two years, accumulate ten properties or more, and collect rental income for the rest of your life.

As Seen from Above

Think about the last time you flew into your hometown. Even at 35,000 feet you can see tracts of land, cities and towns. As you descend, these areas become more distinct. There are major highways, city blocks, skyscrapers, office buildings, large apartment and condominium complexes and finally, individual homes. Imagine, every piece of land you see is owned. The government, a major corporation, a small partnership or even one of your neighbors will own it. You only need to own a few of those properties to retire comfortably. You don't need all the properties you can see. You only need a few for yourself. Hey, it's America. You can do it if your mind is made up to get ahead.

Getting Started

Investigate the benefits of multiple-ownership. We trust you are sold on the principle that real estate is an outstanding method to create financial wealth, as well as to pay for your primary residence and income property. If you are not convinced that real estate is an outstanding investment, there are hundreds of books in the library with thousands of examples of successful real estate investors.

As in Monopoly®, you need to have luck on your side. With a toss of the dice, you could land on a property you already own, missing the opportunity to buy another. Or your opponent could skip over your property and you miss collecting rent. In real life, you may live in an area with little property appreciation. If that's the case, the market price will be depressed and you can buy properties cheaper than in a booming area. In a growth area, you'll pay more for the property. In either case, the long-term strategy is the same: buy and hold. If you don't like the area, move to the area where you want to be in the future. That's like starting a new game.

Establish Your Goals

Once you have your mind set on accumulating property, you will. In the beginning, you won't know how you're going to get the property; you just know that you will get it. This approach sounds too easy but it is true. Something will click in your sub-conscious and you will start gathering information that will help you to achieve your goal.

Getting the Down Payment

Save money for your down payment. How you do this is up to you. Work two or three jobs for a year or so. Get a better paying job. Spend less. Pay less tax. Tap your 401(k) or Employee Stock Ownership Program. Borrow from your Credit Union. Usually, it is not a good idea to borrow against your home, as in a second mortgage, or against your other rentals. Borrowing for the down payment may increase your monthly debt load beyond a comfortable level.

Other creative ways to get the down payment include:

1. Investigate the "no down" option for first-time buyers from your lender.

2. Three- to five-percent down payment programs are available for many primary residences.

3. Have your parents or a friend gift you $14,000 or whatever the tax-free gift limit is that year. Since each parent can give $14,000 with no taxes due, that's $28,000 tax-free. If you're married, your in-laws can also gift $14,000 each to you and your spouse for a

total of $112,000 in tax-free gifting—that's a family with a lot of love and a lot of money.

4. Create a partnership with two or three people and hold title in joint tenancy or tenancy in common. Have a partnership agreement in place with a buy-out clause before you purchase any property.

5. Buy directly from the owner with the owner carrying your down payment. In other words, give the sellers the price they want but you suggest the terms.

6. Get a real estate license and purchase your next home as a "buyer broker." Your commission will range from 2% to 4% or $4,000 to $8,000 on a $200,000 property. (Real Estate school takes a month or two and costs $500 to $1,500.)

7. Refinance any property, even your parents'—the costs of which can probably be deducted from your taxes or theirs—at a lower interest rate and take money out to finance your purchase.

8. Brainstorm with people who own real estate. Ask them how they did it. Have a meeting with a banker or real estate agent. Do you know real estate agents can finance part of your down payment from their commission? You'll discover dozens of avenues to get the down payment once you commit to purchasing property.

Making the Purchase

With your subconscious working in the background, and your strategy for getting the down payment in place, you're now ready to buy something. Remember that a plan with no action goes nowhere. So what should you buy? As a general rule, buy something you like. Buy property in a good area because you might have to go there to collect the rent. Some investors profit from being a slumlord. It depends on what type of tenants you want to interact with. Both can be profitable. Both have advantages and disadvantages.

Buy a house, a condo or townhouse, not raw land unless you put something on the land to live in, such as a mobile home. Raw land cannot be depreciated. Raw land does not produce rental income like a house. Residences have the advantage of being depreciable, which reduces the taxes you pay. Residences generate more rent income than land. People need to rent homes to live in, not raw land. There is a bigger market for structures, such as a house, when it is time to sell.

Different Strategies for Different Lifestyles

Similar to getting the down payment, there are hundreds of strategies for purchasing income property or a home that will become income property. Here are a few of the most common approaches:

Purchasing a home: This will be your first investment for a number of reasons. First, as a primary residence (your home) your down payment can be as little as zero dollars. Ask about first-time homebuyer or Veteran status. Typically, the down payment will be 3% to 5%. (Investment property requires 20% to 30% down.)

Second, purchasing a home is a good investment. Ask any homeowner for confirmation on this point. Mortgage interest can be written off your taxes. If you pay $10,000 in interest you'll pay $2,000 less taxes at the end of the year if you are in the 20% tax bracket. You'll earn appreciation on the market value of your house, which is considerably more than the amount you put down. Appreciation is the increase in value of your property. For example, if a $200,000 house appreciates 5% in a year your increase is $10,000 ($200,000 x .05 = $10,000). Not a bad return on a 3% down payment of $6,000. You will earn your down payment back in your first year of ownership.

Third, if you move to a new home, don't sell your current home, rent it out. Remember, you're playing Monopoly® in real life. Don't sell Baltic Place to buy St. Charles Avenue.

Transforming a Primary Residence into a Rental

If your goal is to "move up" and buy a bigger and more expensive home, then you cannot use this strategy. You'll need the equity from the sale of your home to buy the bigger property. If your goal is to accumulate wealth through real estate, then purchase another home similar to the one you have or a little nicer and rent out your first home. It is that simple.

Look for good deals in your own neighborhood. There may be "diamonds in your own back yard." The strategy is analogous to getting three of the same colored properties in Monopoly®. Doesn't ring a bell of familiarity? Look at a Monopoly® board. Don't be afraid to move a block or two and buy that second home as a primary residence. Rent out your last home. This will be your easiest move because you already have your moving "friends" living next door. Okay, here is the part that people who make their living from real estate do not want you to know. Realtors want you to sell your home so they can earn commissions. When you sell your home, the commission comes out of your pocket. When you buy a new home, with a new 30-year mortgage and higher monthly payments, are you any closer to financial independence? Are you any closer to actually owning your own home? Every time you buy and move up to a bigger home with a 30-year mortgage, you just put yourself farther from retirement. Real estate agents won't tell you this.

Moving out of state to take a new job? Don't sell your home. Here is why. A downturn in the local economy requires that people find work in another state. Corporate relocation also requires moving to another state. This is the worst time to sell a property because others are also selling. If you rent your home instead of selling it, after a few moves or corporate relocations, you can own property in several different states where the economy has probably rebounded. Each rental will be generating income that will be used to pay off its mortgage. Of course, you'll want to get a good tenant to take care of the property and pay the rent on time. As mentioned previously, if you travel to cities where you own income property, you will be able to write off a portion of your travel, lodging, food and other expenses.

Buying Income Property

Income property is property other than your primary residence. It has the advantage of a mortgage interest deduction and appreciation, just like your primary residence. Unlike your residence, it can also be depreciated for tax purposes. Operating expenses are also a tax write-off. You only pay taxes on the net profit or stated differently rental income minus all expenses. If you do a lot of repairs in one year and increase the property value so rents can be raised, it's possible to show no income for tax purposes but actually have money in your pocket from higher rent.

The example below illustrates two differences between your residence and income property. First, in both cases. appreciation is your largest equity builder, giving you a good return on your initial investment (down payment).

Primary Residence $200,000 with 5% down requires $10,000. $6,000 appreciation on a $10,000 investment is a 60% return.

Income property $200,000 with 20% down requires $40,000. $6,000 appreciation on a $40,000 investment is a 15% return.

	Primary Residence	Income Property
Property Cost	$200,000	$200,000
Hypothetical interest write-off after tax (1)	$4,000	$4,000
Depreciation (2)	$0	$1,454
Write off new $15,000 repairs (2)	$0	$3,000
Travel write off, hotel, car to inspect rental $3,000 (4)	$0	$600
Appreciation of property (3%)	$6,000	$6,000

(1) Deduct this amount from your income.

(2) $200,000 / 27 ½ years depreciation schedule = $7,272.

$7,272 * 20% tax bracket = $1,454 credit off your taxes

Deduct this from your income.

(3) $15,000 x 20% = $3,000 (note: expense repair laws changed in 2014)

Deduct this from your income.

(4) $3,000 * 20% = $600   Deduct this from your income.

Second, while you do get to live in your primary residence, you have to pay the mortgage. With income property, your tenant pays the most of the mortgage by paying you rent. This point is obvious, yet many people do not understand that when you live in your primary residence and have nine other mortgages being paid by your tenants, in 15 years, you can actually own all 10 houses free and clear. If you're reading this book as a young person, you will be alive in 15 years. Why not have 10 homes instead of one.

Equity Loans to Purchase Another Property

Seeing the advantages of real estate, many investors take equity from one property to buy another. Many investors also lose it all. Just like in Monopoly®, make sure you have enough money to make the purchase. Don't get greedy and be patient. Time is on your side.

If you have a property with a lot of equity, it may be safe to use some of that equity for a loan to purchase another property. Refinancing one property rather than obtaining a second mortgage also may be more cost effective. Be very conservative in your decision when using this strategy. If the economy goes bad, few things are in your control to recapture lost rents. Your positive cash flow may quickly go negative. So make sure you put money aside for that rainy day, vacant month of lost rent or major repairs.

Investing with Partners

Can't qualify for that big house or apartment building? This strategy allows you to buy something more than you can purchase on your own. First, only do business with "good people." If something goes wrong, you can make it right with the right people. Do business with a "bad person" and you will never make it right. Enough said!

Second, identify the property you would like to buy. Pool your down payments. Write up a partnership agreement (standard form obtained at any office supply or on the Internet). Jointly apply for the loan or one person can get the loan with the others being on the title. Usually, partners will have the "first right to purchase" or "right of first refusal" if one partner wants to cash out. Try to have the Buy-out Agreement no sooner than five years so appreciation can build into equity.

Example with 3 partners:
Cost (four unit complex): $600,000
20% down payment required ($120,000)
$40,000; from each partner.

Appreciated Value after five years @ 3% per year increase. Multiply previous year value times 1.03 to calculate next year's new value.

1st year = $630,000 2nd year = $661,500
3rd year = $694,575 4th year = $729,303
5th year = $765,769

$165,769 total appreciation or
($165,769 / 3 = $55,256)

$55,256 is the increase to each partner's investment, as well as mortgage interest payment deductions. Equity is also built through mortgage reduction to each partner. This example would also show an increase in assets on each partner's financial statement.

An intangible benefit is the pride of ownership. Everyone should own a share of the nation's real estate. In America, it is easy to obtain. In most other countries it is difficult to own real property due to high cost, laws or unstable government.

House Sharing

Because home prices outpace salaries, and marriage is not as popular as it was in the 60s, unrelated people are purchasing homes together. In most residential areas, up to four unrelated people can live in a house (varies by municipal ordinance). There are variations of house sharing strategies. All unrelated people can be owners. Each owner gets his/her proportionate share of the mortgage interest write-off as well as sharing in the appreciation (profit) when the home is sold. One or more people can own the home and rent a room or two. If you rent out part of the home, that part can be depreciated and a proportion of the utility bills can be written off for tax purposes.

You can also write off your home office, especially if it is your sole place of work, and you only use it for work. As always, check with your accountant or tax preparer on all matters associated with write-offs and deductions.

Selling Your Home and Investing in Rentals

This strategy is implemented later in life. Perhaps you have upgraded to a bigger more expensive home over the years. Selling your home, moving into a smaller home and using the excess equity to purchase a few rentals makes sense. Tax laws change, but as of the writing of *The Powerful Little Real Estate Book*, $500,000 in gains are excluded from a couple's taxes from the sale of their primary residence. Using this strategy, you still have a nice home with less upkeep and rental income to boot. This approach has the added advantage of preventing the kids from moving back in with you.

1031 Exchange

If you own an investment property, you can sell it and purchase another investment property, or "exchange it" and defer taxes. Wow!! Compare this transaction to stocks.

Trade appreciated stocks for other stocks and you will pay taxes. As a brief example, and there are a thousand variations on this theme, suppose you bought five acres for $50,000 and held it for 10 years. It's paid off but has not generated any income. If you sell the land for $100,000 you will pay federal taxes on the profit. If you sell the land using a 1031 Exchange strategy and buy rental property, you pay no taxes. (Contact a 1031 Exchange Accommodator in your area for more information.)

As you can see, there are dozens of strategies that can be implemented to build wealth through income property. Books in the library are filled with thousands of ideas, explained in much more detail. *The Powerful Little Real Estate Book* is just a beginning. This book is a way to show you how simple it is to get ahead. This little book is also a guide with enough information to get you started without a lot of confusing details and terms. And finally, *The Powerful Little Real Estate Book* hopes to illustrate how to build wealth through patience and fair practices that benefit both you and your tenants.

Investment calculators can be found on the Internet or you can use the link:

http://www.tannertax.com/financial-calculators.html

The calculators all show different and sometimes exaggerated results. Many investors like to evaluate property using a price-per-square-foot comparison to the surrounding neighborhood of similar properties. They add in the cost of repairs and consider the down payment requirement and financing. They put all the data on a sheet of paper and analyze it. Does the purchase make sense? Is it affordable? Will the income cover or come close to covering the monthly cost? In most cases, the rent will not cover the mortgage. But would it be acceptable if the renter paid for 80% of the mortgage and the investor only had to make up the difference? Remember, the investor still has those account deductions called depreciation and mortgage interest. Property appreciation helps a lot over time.

As shown by the link below, this generation (Gen Y) will be worse off than the previous generation (Gen X). If this generation is not actively involved in their financial future, they won't have one.

Google, "The Rise and Fall of Middle Class Wealth"

The Rise and Fall of Middle-Class Wealth
The share of total U.S. wealth owned by the bottom 90 percent of families, 1917-2012

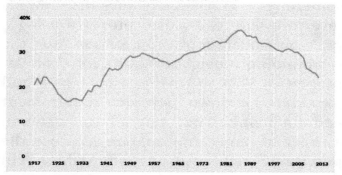

Notes: Wealth is total assets (including real estate and funded pension wealth) net of all debts. Wealth excludes the present value of future government transfers (such as Social Security or Medicare benefits).

Source: Saez, Emmanuel and Gabriel Zucman "Wealth Inequality in the United States since 1913: Evidence from Capitalized Income Tax Data", NBER Working Paper, October 2014, online at http://gabriel-zucman.eu/uswealth/

Washington Center
►Equitable Growth

Thank you to my friends who reviewed this book.

Dan Danser, Princeton University, class of 1969, for the edit.

Jay Jacobson, former World Bank, real estate and REIT investor.

John Rohl, Castle Rock Financial Advisor and real estate investor.

Brian Haddad, Rivendell Property Management.

Eddie Ellington, educator, teacher and real estate investor.

Special thanks to Bill Tanner who compiled my multi-state tax returns for the last 20-plus years. Tanner & Company since 1947.

Calculators:
http://www.tannertax.com/financial-calculators.html

About the Author

DAVE MOVED TO THE "land of opportunity" in 1952 with his family from England. After high school, he joined the Marine Corps with one tour of duty in Vietnam. During college, he bought his first property: ten acres with a mobile home. After securing a corporate job, he continued to purchase houses, condos and apartments. He left his corporate job and retired at the age of 45. After five years of community volunteering, he helped launch the website, www.ForRentByOwner.com in 1997 and holds the position of Vice President.

Dave can be contacted and would look forward to hearing your success stories.

Contact him at DAW@ForRentByOwner.com
303-663-0000 MST

About the Translator (Cesco Linguistic Services, Inc.)

Denver, Colorado-based Cesco Linguistic Services, Inc. was formed in August 2004 with a vision of becoming the connecting voice across languages and cultures. Working under the principles of quality, efficiency and confidentiality, Cesco quickly earned a reputation as a reliable and knowledgeable language services provider, with a particular expertise in languages of limited diffusion. Working in over 200 languages and offering a full range of language services, including document and website translation, as well as on-site, over-the-phone and video interpreting, Cesco's mission is to help ensure that limited English proficiency (LEP) individuals in the United States have the same access to services and information as those who are fluent in English. This focus, along with strict adherence to the professional code of ethics and standards of practice, consistent quality of service and accountability, has led Cesco to be chosen as the preferred language services provider by a long list of clients in the public, private and non-profit sectors.

For additional information, please go to http://www.cescols.com/companybrochure/, or contact Cesco directly at +1 (303) 274-2634 or sitc@cescols.com.

El pequeño y poderoso libro sobre bienes raíces

Los lectores hispanohablantes pueden consultar los gráficos en la versión inglesa.

Índice

*Este libro está dedicado a la
generación del milenio (la generación Y),
aquellos nacidos en las décadas de
1980 y 1990, y a los integrantes de la
generación X, que ya empezaron
a generar su patrimonio y
libertad financiera.*

Introducción

GRACIAS POR SU INTERÉS en los bienes raíces. Este libro es "poderoso" porque trata sobre los puntos básicos de la inversión en inmuebles residenciales y la generación de patrimonio financiero. Es "pequeño" en volumen. Se puede obtener información más detallada en cualquiera de los cientos de libros "gordos" que hay en las bibliotecas o que se pueden descargar de Internet. Este libro refiere a sitios web a los lectores que quieran saber más sobre temas específicos. Si usted tiene un fuerte interés en generar riqueza por medio de los bienes raíces, llame a los especialistas de su comunidad. Conózcalos en persona y descubra por sí mismo los beneficios y desventajas de este negocio.

Este libro no es una fórmula para hacerse rico rápidamente como respuesta a los problemas financieros. *El pequeño y poderoso libro sobre bienes raíces* trata sobre la acumulación de riqueza real a lo largo del tiempo por medio de la adquisición de inmuebles. Muchos de nosotros jugamos al Monopoly® de niños. Piense en invertir en bienes raíces como si fuera el Monopoly®: usted compra propiedades y mejora su patrimonio agregando casas y cobrando más alquiler. Su pequeño salario por pasar por la casilla "Go" se vuelve insignificante en comparación con el ingreso por alquileres. Pero, a diferencia del Monopoly®, la vida real no es un juego. Es su futuro.

El pequeño y poderoso libro sobre bienes raíces fue escrito en 1998 y quedó en la computadora de su autor durante más de quince años. En 2017, fue actualizado y nuevamente puesto a prueba para determinar si las ideas seguían siendo válidas. Este libro muestra las referencias a algunos de los datos de 1998 entre paréntesis. Tras los paréntesis, están las referencias actualizadas. Las estrategias e ideas pasaron la prueba del tiempo y siguen siendo válidas. Es más, los fundamentos de la economía y la importancia de tener propiedades se explicaron por primera vez en *La riqueza de las naciones*, de Adam Smith, publicado en 1776. Según ese libro, escrito hace más de 200 años, se es amo o esclavo... propietario o inquilino. Esto continúa siendo así hoy en día.

Hay una pequeña publicación más reciente, *America 2020: The Survival Blueprint*, (Estados Unidos 2020: el plan de supervivencia), de Porter Stansberry, publicado en 2015. La primera mitad del libro recomienda invertir en plata y oro. La inversión en metales preciosos protegería al inversor de la devaluación del dólar causada por la emisión excesiva de la divisa de Estados Unidos. Pero en la página 98, Stansberry dice: "¿Cuál es este increíble activo que ha aplastado las acciones y el oro?... Estamos hablando de la **tierra**" [traducción no oficial]. En ese libro, la palabra "tierra" está en negrita para hacer hincapié en la importancia de la acumulación de riqueza.

Cómo leer este libro

Lea el libro con acceso a Internet a mano. De esa manera, podrá buscar términos en Google que no le resulten familiares. Podrá verificar los datos, buscar información nueva y detallada e ingresar su propia información personal en las calculadoras en línea disponibles.

También puede leer este libro con una actitud negativa. Quizá piense que usted no puede triunfar en el mundo de hoy, que las cosas han cambiado o que no está en condiciones de invertir en este momento. Bueno, el mundo siempre está cambiando. Pregúnteles a sus padres. Hable con la gente de más edad de su comunidad. Averigüe cómo era antes. Descubrirá que es mejor ahora que antes. Tenga en cuenta que la mayor parte de la gente empieza de la nada. Es por eso que se habla de los que llegan a ser millonarios por sus propios esfuerzos. Usted puede lograrlo. Todo empieza por usted.

¿Se ajusta al perfil de ser propietario de bienes raíces residenciales en alquiler? ¿Debería ser dueño de una propiedad en alquiler? ¿Está en condiciones de convertirse en arrendador? Asumir esa responsabilidad debería adaptarse a su personalidad y objetivos de vida. Si su respuesta es "sí" a la mayoría de las siguientes diez preguntas, usted se ajusta al perfil de un potencial arrendador.

Diez preguntas para contestar con "sí" o "no"

I. ¿Usted vive en Estados Unidos?
Sí / No

Si vive en Estados Unidos, tiene la suerte de disfrutar de mayor estabilidad política que otros países. Los inmuebles son más caros en América del Norte que en América del Sur, pero al menos nadie perderá sus propiedades por un cambio de gobierno. En comparación con Europa, comprar propiedades en América del Norte es muy asequible. Además del precio de compra de una propiedad, deben tenerse en cuenta el financiamiento y los plazos. Las hipotecas en Europa pueden tener plazos de hasta 100 años, y las personas acumulan propiedades haciéndose cargo de las hipotecas de sus padres. En Estados Unidos, los bancos están dispuestos a prestar dinero, con buen crédito o sin él, y a veces sin pago inicial (préstamos del Departamento de Asuntos de Veteranos, primeros compradores, etc.).

Este país parece ser el lugar donde la gente quiere vivir. ¿Por qué es tan atractivo? Nunca tuvo un rey, familia real o dictador. Es un país nuevo comparado con Asia y Europa. Cuenta con muchas libertades. La gente sigue viniendo a vivir aquí. Estados Unidos es el lugar para vivir. A lo largo de nuestra vida, siempre habrá demanda de viviendas.

http://data.worldbank.org/indicator/SP.POP.GROW

Según el Centro de Investigaciones Pew, la inmigración representará el 88% del crecimiento de la población estadounidense en los próximos 50 años. La inmigración es el único factor que sostiene a Estados Unidos como país próspero y un buen lugar para invertir.

II. ¿Usted tiene entre 20 y 50 años de edad?
Sí / No

Cuanto antes empiece a "comprar y conservar" bienes raíces, mejor será su situación financiera. ¿Por qué? Porque lleva tiempo para que las propiedades se *aprecien* y para que la inflación aumente el precio de los bienes raíces. Compre su primera propiedad siendo joven. Luego compre otra algunos años más tarde y así sucesivamente. Cuando tenga 45 años, podría tener nueve o diez inmuebles para alquilar, algunos apartamentos y su casa.

A esa altura, la mayoría de las propiedades podrán estar libres de deudas y obligaciones o casi saldadas. Además, los alquileres habrían aumentado aproximadamente al ritmo de la inflación. Si empieza a comprar propiedades más adelante, cuando tenga entre 60 y 69, es probable que siga trabajando para pagarlas a los 80, si es que llega a esa edad.

III. ¿Considera la inversión en bienes raíces como un segundo trabajo?
Sí / No

En *El pequeño y poderoso libro sobre bienes raíces*, recomendamos que tenga un "trabajo real" que le proporcione ingresos para satisfacer los gastos básicos, más un pequeño extra para invertir. Si su trabajo real no le proporciona suficientes ingresos, hay cuatro cosas que puede hacer:

1. Ganar más dinero: esto significa lograr un ascenso, cambiar de trabajo, conseguir un segundo o tercer trabajo. Esto genera más dinero, pero tiene la desventaja de aumentar el estrés y los impuestos que hay que pagar.

2. Pagar menos impuestos: puede llevar sus impuestos a tres contadores y los terminarán calculando de tres maneras distintas. Cada una puede dar como resultado diferentes

cantidades que pagar al Servicio de Impuestos Internos (IRS, por su sigla en inglés). No obstante, todos los contadores pueden, y de hecho lo hacen, usar la deducción de los intereses de las hipotecas, la depreciación y el gasto en reparaciones y mejoras para disminuir su carga impositiva. Cuando vende propiedades en alquiler e invierte ese dinero en otras propiedades en alquiler acogiéndose al artículo 1031 del Código de Impuestos Internos (IRC, por su sigla en inglés) sobre el intercambio en especie, puede diferir los impuestos de la venta de esa propiedad de inversión. Las ganancias de la venta de su residencia principal están exentas de impuestos hasta cierto límite. Si obtiene una ganancia de la venta de su residencia principal, puede excluir hasta $250,000 de esa ganancia de su ingreso ($500,000 en una declaración conjunta en la mayoría de los casos). Por cierto que el Congreso puede cambiar esta ley en cualquier momento, pero si en la actualidad vende cualquier otra inversión, deberá pagar impuestos sobre la ganancia.

3. Haga mejores inversiones o ahorre: invierta en lo que le gusta. A muchas personas les gustan los inmuebles porque tienen utilidad. Usted puede vivir en esa propiedad o alquilar una parte luego de

comprarla para ganar ingresos adicionales. A veces, puede comprar un inmueble sin pago inicial (p. ej., mediante el financiamiento del pago inicial por parte del vendedor). Veamos un ejemplo con un pago inicial del 5%. El nivel de apalancamiento o endeudamiento relativo al capital es de 1:20. Esto significa que usted invirtió "X" dólares como pago inicial de una propiedad que cuesta "20 veces X" y el banco le presta "19 veces X." Un pago inicial de $10,000 le permite comprar un activo de $200,000. Si la propiedad se aprecia un 6% ($12,000) en un año, el retorno de su inversión es de 120% ($12,000 ÷ $10,000, que fue el pago inicial que puso en la propiedad). La ley le permite comprar acciones con un apalancamiento de 1:2. Invierta $10,000 en acciones con un apalancamiento de 2X y su inversión será de $20,000. Usemos el mismo crecimiento del 6% (6% x $20,000 = $1,200 de ganancia). $1,200 ÷ $10,000 = 12%. Los mismos $10,000 invertidos en bienes raíces tendrán un retorno de 120%, a diferencia del 12% de retorno de la inversión en acciones.

¿Y si el mercado les da la espalda a los bienes raíces y a las acciones mientras usted está endeudado? En el caso de las acciones, el corredor de bolsa puede pedir el pago de acciones exigiéndole que agregue más dinero.

En el caso de los bienes raíces, la compañía hipotecaria no le pide más patrimonio neto.

4. Gaste menos: se han escrito muchos libros sobre cómo gastar menos. Para las pequeñas cosas, haga un presupuesto, recurra a su fuerza de voluntad para no gastar, desayune en su casa o llévese el almuerzo al trabajo. En las cosas más grandes, resista la tentación de adquirir la casa más grande que pueda comprar. Considere la posibilidad de tener menos hijos que las generaciones anteriores. Conduzca un auto que consuma poco combustible y consérvelo el doble de tiempo. Aparte dinero antes de gastar su sueldo.

http://www.bizfilings.com/toolkit/sbg/tax-info/fed-taxes/know-tax-impact-when-disposing-capital-assets.aspx (en inglés)

IV. ¿Cree que puede "comprar y conservar" propiedades que generen ingresos?
Sí / No

Afortunadamente, en Estados Unidos se pueden seguir comprando propiedades. Alrededor del 65% de los estadounidenses son propietarios. Las costas este y oeste del país están más pobladas, por lo que en general las propiedades son más caras que en el centro. Lejos de la costa, todavía se puede comprar una casa con terreno más barata. En muchos países, particularmente en las áreas urbanas, sencillamente no se pueden comprar propiedades porque los precios son prohibitivos o porque ya no quedan terrenos para vender.

Increíblemente, solo el 14% de los estadounidenses son propietarios de inmuebles en alquiler. ¿Por qué el restante 86% de los propietarios no tienen casas en alquiler? Por el temor o, en inglés, FEAR: Falsa Evidencia que Aparece como Real.

Estos son los típicos temores de los potenciales arrendadores. "¿Y si alguien destroza la propiedad?" Usted tiene seguro que cubre los daños. También puede contratar un seguro para cubrir la renta perdida. Pídale a su agente una póliza para arrendadores en lugar de una póliza para propietarios. La póliza para arrendadores también cubre la responsabilidad por accidentes de resbalones, tropiezos y caídas. "¡No quiero líos!" Para ello, se contrata a un administrador profesional. Otro temor es: "¡No quiero que el inquilino me llame tarde en la noche!" Ningún arrendador quiere llamadas inesperadas. Una estrategia es permitir que los inquilinos responsables llamen a un proveedor adecuado si hay algún problema. O contratar a un administrador.

Un cuarto temor dominante es: "Necesitamos retirar el patrimonio neto de nuestra residencia principal para comprar otra. No tenemos dinero para comprar una propiedad en alquiler." Si quiere pasar de una casa de $400,000 a una de $800,000, entonces sí, es muy probable que tenga que vender su propiedad actual. Si está aplicando la estrategia de *El pequeño y poderoso libro sobre bienes raíces*, buscaría una casa de $500,000 que se pueda comprar con un 5% de pago inicial proveniente de sus ahorros o del patrimonio neto de su casa. Alquile su propiedad de $400,000 y con el alquiler cubra la mayor parte del pago de la hipoteca.

Esta sección sobre el temor o FEAR se puede extender a centenares de problemas y situaciones que pueden salir mal y que probablemente lo hagan. Pero como propietario de un inmueble en alquiler, solo necesita un buen inquilino para resolver la mayoría de dichos problemas y situaciones. Un buen inquilino es alguien que cuida la propiedad y paga el alquiler puntualmente. ¿Necesita algo más que un buen inquilino? Sí. Necesita buenas aptitudes de administración de propiedades adquiridas con la experiencia o con capacitación. Lea un libro sobre administración de propiedades, entienda cómo leer un informe de crédito, tenga un empleado de mantenimiento disponible, conozca las leyes de propietarios e inquilinos de su estado y, por último, sepa cómo llevar los libros. Con un buen inquilino, buenas aptitudes de administración y un poco de suerte, tiene la fórmula para el éxito.

V. ¿Quiere construir una base patrimonial?
Sí / No

Los motivos para mejorar su situación financiera pueden ser dejar de ser un empleado asalariado, establecer un fondo para la universidad de sus hijos, la jubilación, su ego o tan solo ver si puede ser rico en Estados Unidos. Todos podemos estar motivados para salir adelante y lograr buenos resultados. En Estados Unidos, esta determinación de triunfar se ve más en las familias estadounidenses de primera generación. Mencioné a los inmigrantes de la primera generación porque parecen esforzarse más, ahorrar más, buscar una mejor educación y salir adelante más rápido que los demás. Para comprobarlo, basta con ver a los peregrinos motivados de 1620 o a los inmigrantes de hoy en día.

	#1 is a "buy one home and pay it off" strategy	#2 is a "buy, hold & accumulate real estate investment" strategy
Balance Sheet	#1 Buyer	#2 Buyer
Cash in Bank	$15,000	$10,000 **
Retirement Plan	$150,000	$50,000 **
Auto	$35,000	$35,000
Home ($300,000)	$707,000***	$707,000 ***
Rentals*		$3,500,000****
Total Assets	$500,000	$2,895,000
After one year with 5% real estate appreciation:		
Real Estate	**$907,000**	**$4,302,000**

En el cuadro anterior se comparan dos balances que muestran cómo la compra de casas puede ayudarlo a acumular patrimonio. Todas las propiedades quedan libres de deudas y obligaciones pasados 10 a 30 años. (Sugerencia: si puede, obtenga una hipoteca de 10, 15 o 20 años y no de 30).

El ingreso por alquileres, los beneficios impositivos de las deducciones de los intereses hipotecarios, la depreciación y la amortización por gastos y las donaciones parciales del propietario a los pagos hipotecarios permiten pagar las propiedades en alquiler.

Usted puede preguntarse: "¿Cómo es posible que este balance sea verdadero?"

El comprador 2 tiene el mismo trabajo que el comprador 1 y una familia similar. La diferencia es que el comprador 2 tomó la decisión de comprar propiedades para alquilar y continuó con su plan. Una vez que usted tiene una meta, el resto del trabajo consiste en resolver problemas y seguir adelante para llegar al resultado final.

** El saldo menor de efectivo y jubilación demuestra que ese dinero se usó para comprar bienes raíces.

*** Aumento de 3% en $300,000 durante 30 años.

**** Valor estimado de las propiedades para alquilar.

Haciendo un cálculo conservador, una propiedad tipo gana 3% de apreciación por año (1% de apreciación real y 2% de inflación). Eso equivale a $9,000 en una residencia principal avaluada en $300,000. El balance "basado en bienes raíces" también se incrementa 3%, pero aumenta más en valor en dólares que un balance basado en "efectivo o ahorros". Si alguna vez jugó al Monopoly®, algo que todos hemos hecho, sabe que no puede salir adelante comprando solo una propiedad. Es más, no puede permanecer en el juego obteniendo dinero por pasar por la casilla "Go", que es lo mismo que cobrar un salario. Y, al igual que en el juego de mesa, debe invertir en sus propiedades para aumentar los alquileres.

VI. ¿Entiende que debe minimizar su carga impositiva?
Sí / No

Si no es propietario de inmuebles hipotecados, no obtendrá deducciones por intereses hipotecarios. Las amortizaciones fiscales son deducciones legales de sus ingresos brutos que reducen la cantidad de impuestos que tiene que pagar. Por ejemplo, si puede cancelar $10,000 en intereses hipotecarios y está en el tramo fiscal del 30%, en los hechos obtiene una rebaja de $3,000 de su factura de impuestos. El hecho de no poder deducir los pagos de alquiler motiva a mucha gente a comprar una vivienda. Usted puede deducir los pagos de intereses hipotecarios de todas sus propiedades en alquiler, no solo los de su residencia principal. El gobierno le da al propietario y arrendador una exención tributaria por ser dueño de su casa y de inmuebles para alquilar.

Si compra otro inmueble, puede deducir el interés hipotecario de todos los bienes raíces de su propiedad. Ahora tiene dos deducciones de pagos de intereses hipotecarios. Los gastos, mejoras de capital de una propiedad para alquilar y gastos de cierre también se deducen. Supongamos que tuvo un buen año y que sus ingresos brutos fueron de $100,000. Si usted es inquilino, pagará impuestos sobre ese ingreso. En caso de ser propietario de una casa de $300,000 y de haber pagado $20,000 de intereses hipotecarios (estando en el tramo fiscal del 30%), reduciría los impuestos que debe en $6,000. A medida que va ascendiendo en su trabajo y gana antigüedad y más dinero, ser propietario de bienes raíces puede reducir sus impuestos de manera significativa. Algunas personas no pagan impuestos en absoluto.

Nota sobre las ganancias de capital: la tasa impositiva para personas con "ganancias de capital de largo plazo" (ganancias sobre activos conservados durante más de un año antes de ser vendidos) es menor que la tasa del impuesto a la renta ordinaria. En algunos tramos fiscales, no hay que pagar impuestos sobre dichas ganancias.

¿Ha notado que las grandes empresas compran inmuebles? Además de ser una buena inversión por la apreciación, las grandes empresas de Estados Unidos están en un tramo fiscal cercano al 40%. Eso es una deducción, conjuntamente con la depreciación, que reduce los ingresos imponibles.

Si bien es cierto que puede usar la deducción de intereses hipotecarios de su residencia para reducir los impuestos, solo puede usar la depreciación (amortización contable) en las propiedades en alquiler. En pocas palabras, si usted tiene una depreciación de $3,000 de un inmueble en alquiler en un año y está en el tramo fiscal del 30%, puede deducir $1,000 de su carga impositiva. ¡Así de sencillo!

VII. ¿Quiere libertad financiera? Sí / No

Hay ciertos problemas con la libertad financiera que uno no imagina hasta que la tiene. Disfrutar de la libertad financiera lograda mediante bienes raíces es muy parecido a ganar la lotería. Si ya no tiene que trabajar de 9 a 5, ¿qué hace todo el día? Sus amigos trabajan durante la semana. Es posible que ni siquiera pueda salir a almorzar con ellos porque no tienen tiempo extra durante el día. El lado positivo de la libertad financiera es que le permite vivir aventuras que pueden durar un día, una semana, un mes o varios años. Puede levantarse a la hora que quiera, leer el periódico cuando quiera, entrenarse para un evento deportivo a cualquier hora, tener un *hobby* o lo que sea. Ser propietario de bienes raíces bien administrados le dará mucho tiempo libre. Los bienes raíces bien administrados reducen el nivel de estrés, le permiten tener una buena calidad de vida y le dan un ingreso extra que contrarresta la presión a la baja del poder de compra causada por la inflación.

Calculadora de inflación:
http://www.usinflationcalculator.com

VIII. ¿Le gustaría jubilarse de manera anticipada? Sí / No

Una persona joven de 20 o 30 años rara vez puede jubilarse de manera anticipada. Si usted es mayor, imagina que la jubilación o el retiro significan dejar el trabajo de 9 a 5 y hacer lo que quiera. Retirarse no significa, como lo define el diccionario, "apartarse, aislarse o irse a casa". Casi todo el mundo trabaja, se ofrece como voluntario o aporta a la sociedad después de jubilarse. Casi todos los maestros, funcionarios públicos, personal militar y personas con otras ocupaciones siguen una vocación activa luego de la jubilación.

Las inversiones en bienes raíces como fuente de ingresos para la jubilación es uno de los mejores planes porque, a medida que los alquileres aumentan con el tiempo, los ingresos también lo hacen. Con casi todos los demás planes de jubilación, usted debe retirar dinero a los setenta años y medio, y muchos corredores de bolsa le aconsejan hacerlo incluso antes para obtener los ingresos que necesita para cubrir sus gastos básicos. Si tiene propiedades en alquiler, no necesita recurrir a sus activos. Los jubilados con ingresos fijos a menudo se ven obligados a conseguir un trabajo de medio tiempo degradante. Los bienes raíces constituyen una manera mucho más agradable de jubilarse. Cuando se jubile, probablemente ya habrá cancelado sus hipotecas, con lo que ya no tendrá la presión de los pagos hipotecarios mensuales.

Además, este negocio lo mantiene socialmente activo. Los propietarios de inmuebles en alquiler interactúan con la gente, tanto con los inquilinos como con los proveedores de servicios. Algunos testimonios de inquilinos: "El inodoro está tapado y no podemos bañar a los niños hasta que lo arreglen." "Le pido permiso para sacar los cajones de la cocina." "¿Podría mandar a un hombre que revise el agua, por favor? Tiene un color raro y no se puede tomar." Uno se entretiene.

Manejar los cheques de los alquileres, hacer depósitos y pagar las cuentas también mantiene la mente ágil. En resumen: tiene algo para hacer cuando envejezca y puede ganar mucho dinero para su jubilación.

Es posible que los lectores más jóvenes de *El pequeño y poderoso libro sobre bienes raíces* no valoren este último punto. Sin embargo, se dará cuenta de que cuando sus hijos crezcan y tengan sus propias familias, necesitará algo para estar ocupado.

IX. ¿Convertiría su casa en una propiedad para alquilar?
Sí / No

La manera más fácil de convertirse en arrendador es alquilar una habitación de su residencia principal. Encontrará alquileres de habitaciones o casas para compartir en Internet. Alquilar parte de su casa es ahora un gran negocio, que es fácil de implementar (www.CraigList.org). Compartir una casa no es nuevo. Se ha hecho durante siglos. Antes adoptaba la forma de posadas para viajeros. Usted puede alquilar una habitación a inquilinos de largo plazo a quienes les gustaría vivir en su vecindario o a inquilinos de corto plazo por día o por semana. ¡Cuidado! Si cobra el alquiler con un cheque, el IRS puede acceder a su cuenta bancaria durante una auditoría de sus declaraciones de impuestos. Si solo acepta efectivo, igual lo pueden auditar. Recuerde: sus vecinos pueden ver que usted tiene inquilinos, y el IRS puede acusarlo de evasión fiscal si no declara todos los ingresos. Nunca trate de ocultar ingresos o de engañar al IRS.

Puede empezar a acumular propiedades para alquilar de muchas maneras. Si ya tiene una residencia principal, esa casa puede convertirse en el primer inmueble en alquiler cuando se mude. Cuando estaba en la universidad, compré 10 acres de tierra y una casa rodante de 12' x 50'. En esa época, tenía un inquilino que pagaba la mitad de la hipoteca. Cuando me gradué y me fui de la zona, les alquilé la casa rodante a dos inquilinos. Como la hipoteca se pagaba con los ingresos del alquiler, fue fácil acceder a otra propiedad. Entonces compré una casa de tres dormitorios con un garaje para dos automóviles, que pasó a ser mi residencia principal. Amparándome en la Ley GI, pude acceder a un pago inicial reducido y a una baja tasa de interés. Con dos experiencias de compra en mi haber, el proceso se hizo mucho más fácil. (El monto de los pagos iniciales ha cambiado, así que verifíquelo con su banco y con los programas gubernamentales). Comprar una propiedad como residencia principal y mudarse a ella, aunque sepa que el año que viene la alquilará, le da derecho a una tasa de interés más baja. Puede obtener un préstamo residencial a 30 años en lugar de un préstamo comercial a 20 años. Las tasas de interés más bajas y los préstamos a más largo plazo resultan en un menor pago mensual de la hipoteca.

Al pensar en qué comprar, opte por la propiedad que prefiere la mayoría de los estadounidenses: una casa independiente de por lo menos tres dormitorios, un baño y medio o dos baños y un garaje para dos autos. Algunas personas invierten en viviendas anexas (bloques de apartamentos, casas adosadas, viviendas con jardín común), pero el precio de venta de estas propiedades fluctúa a medida que el mercado inmobiliario cambia. Las casas independientes son atractivas para un mercado más amplio y más fáciles de alquilar, vender y refinanciar.

X. ¿Le gustaría ampliarse a inmuebles de varias unidades y a propiedades comerciales?
Sí / No

Una vez que haya acumulado algunas casas independientes, estará listo para comprar complejos más grandes si así lo desea. Estos pueden generar mayor ganancia sobre su inversión inicial. Los complejos de apartamentos, con unidades de uno, dos o tres dormitorios, también pueden dejarlo fuera del negocio en poco tiempo si se sobreexcede financieramente. Recuerde que, al igual que en el Monopoly®, comprar demasiadas propiedades y quedarse con poco efectivo puede significar el fin del juego. Cuando esté listo para comprar en grande, contará con el conocimiento de sus inversiones en casas independientes para orientarse.

Consejos: no sea codicioso. El tiempo está de su lado. No pague demasiado por una propiedad. Nunca venda, especialmente cuando el mercado esté en baja. Si la tasa de interés es demasiado baja, tenga cuidado o simplemente no compre. Por lo general, eso significa que el precio es extremadamente alto. La regla es que "una baja tasa de interés significa altos precios de los inmuebles". Si la tasa de interés aumenta, los precios bajan.

Esto es así porque los consumidores se fijan en el pago mensual para ver si pueden solventarlo.

Sea un arrendador considerado pero firme. Hasta el mejor inquilino con buena capacidad crediticia y trabajo bien remunerado puede pasar por momentos difíciles. Con experiencia, podrá distinguir un buen inquilino que está en una situación de emergencia y no puede pagar el alquiler de uno que lo está evitando.

Entonces, ¿cómo le fue en las diez preguntas? Le recomiendo que las revise y se pregunte: "¿Este soy yo?" Por ejemplo: si tiene 60 años, olvídelo. Se le pasó la oportunidad. Si es joven, ¡a por ello!

Los bienes raíces como medida de riqueza real

Desde el tiempo de los romanos, los bienes raíces han sido reales. Lo son ahora y lo serán siempre. Cuando los soldados romanos terminaban su servicio militar, recibían tierras como recompensa. Durante siglos, la riqueza de un inglés se medía por el tamaño de sus tierras. En el pensamiento occidental, los conceptos de riqueza material provienen de esta tradición. La riqueza se puede medir por las propiedades que se tienen. Los inmuebles le dan a la gente un lugar para vivir. Se pueden alquilar para que otros vivan en ellos. No se evaporan como las acciones, los bonos o demás instrumentos impresos. Busque en Google "Viernes Negro de 1869", "crac de Wall Street de 1929", "estallido de la burbuja punto com de 2000" y demás acontecimientos para ver cómo los inversores pueden perderlo todo. Comparados con los certificados o acciones que pueden perder su valor en el futuro, los bienes raíces son "reales". Las propiedades tienen utilidad; esto es, usted puede vivir en su inversión.

Como dijo Will Rogers: "Compre tierra. Ya no la fabrican más." La población mundial aumentó a más de 7,400 millones de personas sin que haya habido ningún incremento en la cantidad de tierras. Tome en cuenta que en 1950, la población mundial ascendía a 2,500 millones de personas. Se estima que para 2040, será de 9,000 millones. Esto significa que habrá más personas que querrán una porción de esa limitada oferta de tierras. El aumento de la demanda conlleva un aumento de precio. Otros factores que también inciden en el aumento del precio de la tierra, residencias, propiedades en alquiler y potencial de ingresos por alquileres son el incremento de los costos de los materiales de construcción, la inflación (se necesita más dinero para comprar el mismo producto), el costo de la mano de obra, etc. Esto subraya el principio de la oferta y la demanda. En los próximos 10 a 15 años, los bienes raíces aumentarán su valor a un ritmo significativo.

Tómese unos momentos y hágase la siguiente pregunta: "¿Cuánto pagaron mis abuelos por su casa?" Es probable que su valor haya aumentado tres, cuatro o quizá diez veces. Estudie el pasado y será capaz de predecir el futuro. ¿No tiene parientes cercanos? El precio promedio de una casa en 1965 era de $20,000. En 2010, era de $220,000.

https://www.census.gov/const/uspricemon.pdf

Porcentaje de cambio en el precio de las casas desde 1980. Los siguientes datos se obtuvieron durante el *boom* de los bienes raíces. Los precios de las casas aumentaron a más del doble en todas las zonas de Estados Unidos, salvo en una. Note que dichos precios también pueden bajar. Cuando bajen, no venda.

Nueva Inglaterra	348%
Atlántico medio	252%
Atlántico sur	171%

Centro noreste	166%
Centro noroeste	145%
Centro sureste	133%
Centro suroeste	81%
Estados de montaña	156%
Costa del Pacífico	238%

Desde 1998 a 2006, los precios de las casas subieron. Luego, de 2007 a 2010, el mercado empezó a bajar. Este período se denominó la "burbuja inmobiliaria de 2008". Se ha escrito mucho sobre él, pero básicamente el precio "real" de los bienes raíces (precio de los inmuebles ajustados por inflación) estaba demasiado alto. Espero que no haya vendido durante este período en declive entre 2007 y después de 2011.

http://www.newyorkfed.org/home-price-index/ (en inglés)

Qué es el apalancamiento

Los porcentajes indicados en la gráfica que figura en la página 34 de la versión inglesa pueden llevarlo a pensar que su dinero solo se habría duplicado o triplicado en los últimos veinte años. Con apalancamiento (es decir, mediante el uso de endeudamiento para financiar una operación) y tomando en cuenta un pago inicial del 5%, el crecimiento de su inversión o tasa de rentabilidad es de hecho mucho mayor a veinte veces. Si bien el valor de las propiedades de la región del Atlántico sur aumentó un 171%, en realidad su inversión del 5% habría aumentado un 3,420%. He aquí cómo funciona: se llama "apalancamiento financiero". Busque en Google el término "apalancamiento" para entender cómo puede usarlo en su beneficio. Luego utilice "el dinero ajeno" (OPM, por su sigla en inglés), que por lo general se adquiere en la forma de un préstamo hipotecario bancario.

¿No está convencido de que los bienes raíces sean un buen negocio? He aquí otra pregunta. ¿Es una buena inversión ser propietario de su propia casa? Si es ventajoso ser propietario de su propia casa y si la amortizó en quince años, ¿por qué no tener diez propiedades y amortizarlas en quince años? Usted amortiza una propiedad pagando la hipoteca y dejando que sus inquilinos amorticen las otras nueve propiedades mediante los alquileres que le pagan a usted. Si tiene diez propiedades durante el tiempo suficiente y el mercado de alquileres sube, como siempre lo ha hecho en el largo plazo, sus inquilinos estarán amortizando en su lugar todas sus hipotecas de las propiedades en alquiler.

Lo más notable sobre las personas que invierten en bienes raíces es que son como usted. Los maestros y los bomberos tienen más propiedades en alquiler que cualquier otro grupo de inversores. A muchos maestros les gusta viajar durante las vacaciones y tienen propiedades en otras zonas, adquiridas como segunda casa o futura vivienda para después de jubilarse. Los bomberos tienen muchos días libres a la vez y tienden a buscar buenos negocios en su área local durante su tiempo libre. Ambos grupos se preocupan mucho por la jubilación. Es por eso que trabajan en esas profesiones. Los dos grupos están invirtiendo y acrecentando sus programas de jubilación. A menudo, sus ingresos por alquileres superan el paquete de jubilación institucional. ¿Sabía que cuando viaja para visitar su propiedad en alquiler que está en otro estado como, por ejemplo, Hawái o Florida, puede hacer una deducción comercial? Un boleto de ida y vuelta de $1,000 en realidad le cuesta $700 si está en el tramo fiscal del 30%. También puede deducir los gastos de hotel, comidas y transporte si está controlando sus propiedades en alquiler.

Antes de pasar al "cómo" de los bienes raíces, veamos brevemente las inversiones en acciones. La pérdida de valor de las acciones a principios de los 2000 será largamente recordada, junto con las demás crisis económicas que parecen tener lugar aproximadamente cada diez años. Pero la pérdida de valor no es nada nuevo. Como ejemplo personal, este autor invirtió $2,000 en 1974 solo para descubrir que las acciones habían dejado de formar parte de la lista de compañías que cotizan en Bolsa. En 1982, invirtió en un Programa de Propiedad de Acciones de los Empleados. La inversión total fue de $8,000. El retiro total de dinero en 1999 fue de $2,000. Es preocupante cuando uno lee sobre personas que pierden sumas considerables de dinero en el mercado de acciones. Cuando uno pierde su propio dinero en el mercado, siente que fue víctima de poderes que están más allá del propio control. De un día para otro, millones de dólares se pueden desvanecer en un mercado de acciones controlado por algoritmos y supercomputadoras.

El mayor problema de tener acciones es que tiene que venderlas a medida que avanza en edad. Si es joven, compre acciones. Estas suponen más riesgo, pero potencialmente tienen una tasa de rentabilidad mayor que los bonos. Cuando se acerque su edad de jubilación, debería deshacerse de las acciones y comprar bonos. En la transición de acciones a bonos, la agencia de bolsa cobra una comisión, que sale de sus ganancias. Con los bienes raíces, usted compra una vez cuando es joven, conserva el activo y cobra el alquiler de por vida.

He aquí algunas consideraciones sobre la inversión en metales preciosos. Los metales preciosos, como el oro y la plata, se suelen vender por onza troy. Muchas personas no saben que una onza de oro y de otros metales preciosos se pesan según un sistema diferente que se denomina "peso troy". Una onza troy es más pesada que la onza común y corriente que encontramos en el supermercado. Así que desde el principio, invertir en metales no es fácil.

La inversión en oro y plata es además muy especulativa, ya que el precio es controlado más por los corredores de bolsa en posición de poder que por la oferta y la demanda de los productos. Busque en Google: "hermanos Hunt acaparan el mercado".

Es probable que el mundo siga valorando los metales por su utilidad en los componentes electrónicos, por su belleza en la joyería y por su escasez. Desde 1971, se ha ido dejando atrás la moneda con respaldo en oro. La próxima vez que haga un pago inicial de $20,000 para comprar una propiedad, intente hacerlo con unas pocas libras de oro. Con seguridad, la transacción no se realizará según lo planeado. ¿O prefiere librar un cheque, girar fondos o pagar en efectivo? La inversión en metales preciosos presenta riesgos y es engorrosa, ya que se los pueden robar o también confiscar, como hizo en 1933 Franklin Delano Roosevelt, presidente de Estados Unidos. Mediante una orden ejecutiva, prohibió la acumulación de monedas, lingotes y certificados de oro dentro del territorio continental de Estados Unidos.

Se trata de un juego

Usted puede saber sobre las estrategias de acumulación de bienes raíces si jugó al Monopoly® de niño. ¿Alguna vez vendió Baltic Place para comprar St. Charles Avenue? No. Empezó con poco dinero al principio del juego. En la vida real, este es el dinero que usted ganó en sus trabajos de tiempo parcial y completo. En primer lugar, compró su primera propiedad, probablemente una de las más baratas, luego de tirar los dados. Hasta ahí, como en la vida real. Usted no vendió su primer propiedad, sino que siguió adelante y compró otra. Alguien cayó en su propiedad y usted le cobró el alquiler. Ahorró todo lo que pudo de los alquileres, cobró un poco de dinero por pasar por la casilla "GO" y compró más propiedades o mejoró las que ya tenía. Puede cobrar más alquiler si la propiedad mejora con más casas de Monopoly®. En la vida real, mejorar un inmueble con comodidades, como pisos de madera, electrodomésticos de acero inoxidable o encimeras de granito, aumentará los ingresos por alquileres. ¿Qué pasaba con su juego cuando usted se ponía demasiado agresivo o codicioso? Perdía. Lo mismo sucede en el mundo real.

La vida real es como un juego de Monopoly®, salvo que lleva de 15 a 30 años beneficiarse de las inversiones en bienes raíces. En el Monopoly®, solo hay un ganador. En la vida real, los ganadores son las personas que tienen varios inmuebles. Como regla general, solo necesita diez propiedades para jubilarse cómodamente. Por ejemplo, diez casas residenciales totalmente saldadas pueden generar de $1,500 a $ 2,000 por mes y por propiedad en el mercado de 2016. Eso equivale a un ingreso mensual de $20,000. Igual resta pagar los impuestos, seguros y conceptos de mantenimiento de capital. No obstante, los antecedentes históricos muestran que, a medida que pasan los años y los alquileres aumentan, sus ingresos se incrementarán más rápido que los gastos, impuestos y demás costos de sus propiedades.

La totalidad del libro se puede resumir sencillamente del siguiente modo: compre una casa, realice un pago inicial, haga que el banco invierta el grueso del dinero, encuentre un inquilino, use los ingresos por alquileres para pagar la mayor parte de la hipoteca, siga hasta que haya terminado de pagar la hipoteca, repita el procedimiento cada dos años, acumule por lo menos diez propiedades y cobre los alquileres por el resto de su vida.

Visto desde arriba

Piense en la última vez que viajó en avión a su ciudad natal. Incluso a 35,000 pies de altura puede ver extensiones de tierra, ciudades y pueblos. A medida que desciende, estas áreas se distinguen mejor. Hay grandes autopistas, manzanas, rascacielos, edificios de oficinas, grandes complejos y bloques de apartamentos y, por último, casas individuales. Cada parcela tiene un dueño: el gobierno, una gran empresa, una pequeña compañía o incluso uno de los vecinos. Usted solo necesita unas pocas de esas propiedades para jubilarse con comodidad. No necesita todas las propiedades que puede ver. Solo necesita unas pocas para usted. No se olvide: esto es Estados Unidos. Puede lograrlo si está decidido a seguir adelante.

Cómo empezar

Investigue los beneficios de tener varias propiedades. Confiamos en que está convencido de que los bienes raíces son un excelente método para generar patrimonio financiero, así como para pagar su residencia principal y las propiedades que producen ingresos. Si no está convencido de que los bienes raíces son una inversión excelente, hay centenares de libros en la biblioteca con miles de ejemplos de inversores inmobiliarios exitosos.

Al igual que en el Monopoly®, es preciso tener suerte. Al tirar los dados, puede caer en una propiedad que ya es suya, con lo que pierde la oportunidad de comprar otra. O su rival puede saltarse su propiedad y usted se pierde de cobrar alquiler. En la vida real, puede ocurrir que usted viva en una zona con poca apreciación de las propiedades. Si ese es el caso, el precio de mercado puede ser bajo, lo que le permite comprar inmuebles más baratos que en un área floreciente. En una zona en crecimiento, usted pagará más por las propiedades. En cualquier caso, la estrategia de largo plazo es la misma: comprar y conservar los inmuebles. Si no le gusta el área, múdese a una en la que quiera vivir en el futuro. Eso es como empezar un juego nuevo.

Fije sus metas

Una vez que esté decidido a acumular propiedades, lo hará. Al principio, no sabrá cómo; solo sabrá que lo logrará. Esta manera de ver las cosas parece demasiado fácil, pero es verdadera. Algo hará clic en su subconsciente y usted empezará a recopilar información que lo ayudará a alcanzar su meta.

Obtener el dinero del pago inicial

Ahorre dinero para el pago inicial. Cómo lo hará depende de usted. Tenga dos o tres trabajos durante aproximadamente un año. Consiga un trabajo mejor remunerado. Gaste menos. Pague menos impuestos. Utilice su plan 401(k) o el Programa de Propiedad de Acciones de los Empleados. Pida un préstamo a su cooperativa de ahorro y crédito. Por lo general, no es una buena idea pedir un préstamo poniendo su casa como garantía, como en una segunda hipoteca, o poniendo como garantía sus demás inmuebles en alquiler. Pedir prestado para el pago inicial puede aumentar su carga de endeudamiento mensual más allá de un nivel cómodo.

Otras maneras creativas de obtener el dinero para el pago inicial son las siguientes:

1. Investigar la opción "sin pago inicial" que tenga su prestamista para los compradores por primera vez.

2. Existen programas de pago inicial de 3 a 5% para muchas residencias principales.

3. Hacer que sus padres o un amigo le donen $14,000 o la cantidad límite libre de impuestos ese año. Como cada padre puede donar $14,000 sin pagar impuestos, sería un total de $28,000 libre de impuestos. Si está casado, su familia política también puede donarle $14,000 a usted y a su cónyuge por un total de $112,000 libres de impuestos: esa es una familia con mucho amor y mucho dinero.

4. Crear una sociedad con dos o tres personas y ser titular en régimen de copropiedad o tenencia en común. Firme un contrato de asociación con opción de compra antes de adquirir una propiedad.

5. Comprar directamente al propietario y que este financie el pago inicial. En otras

palabras, darle al comprador el precio que quiere, pero usted sugiere sus propios términos.

6. Obtener una licencia de bienes raíces y comprar su próxima casa en calidad de "agente del comprador". Su comisión se ubicará entre el 2 y el 4% o entre $4,000 y $8,000 en una propiedad de $200,000. (El curso de la escuela de bienes raíces lleva un mes o dos y cuesta de $500 a $1,500).

7. Refinanciar cualquier propiedad, hasta la de sus padres (el costo de lo cual podrá probablemente deducirse de sus impuestos o de los de ellos) a una tasa de interés menor y sacar dinero de ahí para financiar su compra.

8. Intercambiar ideas con personas propietarias de bienes raíces. Pregúnteles cómo lo lograron. Reúnase con un banquero o agente de bienes raíces. ¿Sabía que los agentes de bienes raíces pueden financiar parte de su pago inicial con su comisión? Descubrirá decenas de caminos para obtener el pago inicial una vez que adopte la firme determinación de comprar inmuebles.

Realizar la compra

Con el subconsciente trabajando de fondo y con su estrategia para obtener el pago inicial, ya está listo para comprar algo. Recuerde que un plan sin acción no lleva a ninguna parte. Entonces, ¿qué debería comprar? Como regla general, compre algo que le guste. Compre inmuebles en una buena zona porque posiblemente tenga que ir a cobrar el alquiler. Algunos inversores se benefician de ser dueños de un tugurio. Depende del tipo de inquilinos con los que usted quiera interactuar. Ambas posibilidades pueden ser rentables. Las dos tienen ventajas y desventajas.

Compre una casa, un bloque de apartamentos o casas adosadas, no un simple terreno, salvo que ponga algo en él para vivir, como una casa rodante. Un terreno no se puede depreciar. No produce ingresos por alquileres como una casa. Las residencias tienen la ventaja de ser depreciables, lo que reduce el monto de impuestos que se debe pagar. Generan más ingresos por alquiler que la tierra. La gente necesita alquilar casas para vivir, no simples terrenos. Hay un mercado mayor para las estructuras, como una casa, a la hora de vender.

Diferentes estrategias para distintos estilos de vida

De forma parecida que con el pago inicial, hay centenares de estrategias para comprar propiedades que generen ingresos o convertir su casa en una propiedad de ese tipo. Estas son algunas de las maneras más comunes:

Comprar una casa: esta será su primera inversión por una serie de razones. En primer lugar, como residencia principal (su casa), el pago inicial puede llegar a ser cero dólares. Pida información sobre las categorías de comprador de vivienda por primera vez o de veterano. En forma característica, el pago inicial será de 3 a 5%. (La propiedad de inversión requiere un pago inicial de 20 a 30%).

En segundo lugar, comprar una casa es una buena inversión. Pídale confirmación a cualquier propietario sobre este punto. El interés hipotecario se puede deducir de sus impuestos. Si usted paga $10,000 de interés, pagará $2,000 menos de impuestos al final del año en caso de que se encuentre en el tramo fiscal del 20%. El valor de mercado de su casa se apreciará, y será considerablemente mayor a la cantidad que puso inicialmente. La apreciación es el aumento de valor de su propiedad. Por ejemplo, si una casa de $200,000 se aprecia 5% en un año, su aumento es de $10,000 ($200,000 x 0.05 = $10,000). No es un mal rendimiento en el caso de un pago inicial de 3% equivalente a $6,000. Podrá recuperar su pago inicial en el primer año de ser propietario.

En tercer lugar, si se muda a una casa nueva, no venda la actual: alquílela. Recuerde que está jugando al Monopoly® en la vida real. No venda Baltic Place para comprar St. Charles Avenue.

Transformar una residencia principal en una propiedad de alquiler

Si su meta es seguir creciendo y comprar una casa más grande y más cara, entonces no puede usar esta estrategia. Necesitará el capital de la venta de su casa para comprar una propiedad más grande. Si su meta es acumular riqueza por medio de los bienes raíces, entonces compre otra casa similar a la suya o un poco más linda y alquile su primera casa. Es así de sencillo.

Busque buenas oportunidades en su propio vecindario. Puede encontrar diamantes en su propio patio trasero. La estrategia es análoga a obtener tres propiedades del mismo color en el

Monopoly®. ¿No le resulta familiar? Observe un tablero de Monopoly®. No tema mudarse a una o dos calles y comprar esa segunda casa como residencia principal. Alquile su casa anterior. Esta será la opción más fácil porque ya tiene a sus "amigos" viviendo al lado. Bien, esta es la parte que quienes viven de los bienes raíces no desean que usted sepa. Los agentes inmobiliarios quieren que usted venda su casa para que ellos puedan ganar comisiones. Cuando usted vende su casa, la comisión sale de su bolsillo. Cuando compra una casa nueva, con una hipoteca a 30 años y pagos mensuales más altos, ¿está más cerca de la independencia financiera? ¿Está realmente más cerca de ser dueño de su propia casa? Cada vez que compra una casa más grande con una hipoteca a 30 años y pasa a vivir en ella, se aleja cada vez más de la jubilación. Los agentes de bienes raíces no le dirán esto.

¿Tiene que mudarse a otro estado por un nuevo trabajo? No venda su casa. He aquí por qué: una recesión en la economía local puede hacer que la gente tenga que buscar trabajo en otro estado. Las reubicaciones corporativas también requieren mudarse a otro estado. Este es el peor momento para vender una propiedad porque los demás también están vendiendo. Si usted alquila su casa en lugar de venderla, luego de unas pocas mudanzas o reubicaciones corporativas, podrá tener propiedades en varios estados en los que la economía haya salido de la crisis. Cada alquiler le generará ingresos que se usarán para pagar la respectiva hipoteca. Por supuesto que va a querer un buen inquilino que cuide de su propiedad y pague el alquiler puntualmente. Como se mencionó antes, si usted viaja a ciudades en las que tiene su propia propiedad generadora de ingresos, podrá deducir una parte de su viaje, alojamiento, comidas y demás gastos.

Comprar propiedades que generen ingresos

Las propiedades que generan ingresos son inmuebles diferentes a su residencia principal. Tienen la ventaja de que se pueden deducir los intereses hipotecarios y de que se aprecian, tal como su residencia principal. A diferencia de esta, también se pueden depreciar a efectos impositivos. Los gastos operativos también se pueden deducir de los impuestos. Usted solo paga impuestos sobre la ganancia neta o, dicho de otra manera, sobre el ingreso por alquileres menos todos los gastos. Si hace muchas reparaciones en un año y aumenta el valor de la propiedad para poder subir los alquileres, es posible demostrar que no hubo ganancias a efectos impositivos, pero de hecho tendrá más dinero en su bolsillo procedente de los alquileres más altos.

El siguiente ejemplo ilustra dos diferencias entre su residencia y las propiedades que generan ingresos. Primero, en ambos casos, la apreciación es su principal generador de capital y le da una buena rentabilidad sobre su inversión inicial (pago inicial).

Una residencia principal de $200,000 con un pago inicial del 5% requiere $10,000. Una apreciación de $6,000 sobre una inversión de $10,000 es una rentabilidad del 60%.

Una propiedad que genera ingresos de $200,000 con un pago inicial del 20% requiere $40,000. Una apreciación de $6,000 sobre una inversión de $40,000 es una rentabilidad del 15%.

En segundo lugar, mientras vive en su residencia principal, tiene que pagar la hipoteca. Con propiedades que generan ingresos, su inquilino paga la mayor parte de la hipoteca al pagarle el alquiler. El punto es obvio, aunque muchos no entiendan que cuando viven en su residencia principal y tienen otras nueve hipotecas que pagan los inquilinos, en quince años pueden ser propietarios de las diez casas libres de deudas y obligaciones. Si es un lector joven, va a vivir quince años más. ¿Por qué no tener diez casas en lugar de una?

Segunda hipoteca para comprar otra propiedad

Al ver las ventajas de los bienes raíces, muchos inversores toman una segunda hipoteca en una propiedad para comprar otra. Muchos inversores también lo pierden todo. Al igual que en el Monopoly®, asegúrese de tener dinero suficiente para hacer la compra. No sea codicioso y tenga paciencia. El tiempo está de su lado.

Si tiene una propiedad con mucho capital, puede resultar seguro usar parte de él para asumir una hipoteca a fin de comprar otro inmueble. Refinanciar una propiedad en lugar de obtener una segunda hipoteca también puede ser más rentable. Cuando use esta estrategia, sea muy conservador en sus decisiones. Si la economía va mal, hay pocas cosas que puede hacer para recuperar los alquileres perdidos. Su flujo positivo de efectivo puede pasar rápidamente a ser negativo. Así que asegúrese de apartar dinero para un momento difícil, un mes de alquiler perdido o reparaciones de importancia.

Invertir con socios

¿No reúne las condiciones para esa gran casa o edificio de apartamentos? Esta estrategia le permite comprar algo más de lo que podría adquirir por sí solo. En primer lugar, asóciese con "buena gente". Si algo sale mal, lo puede arreglar con las personas adecuadas. Si se asocia con una mala persona, nunca podrá arreglarlo. No hay nada más que decir.

En segundo lugar, identifiquen el inmueble que quieren comprar. Combinen los pagos iniciales. Suscriban un contrato de asociación (el formulario estándar se puede obtener en cualquier papelería o en Internet). Soliciten el préstamo en conjunto. Otra posibilidad es que una de las personas consiga el préstamo y las otras estén en el título de propiedad. Por lo general, los socios tendrán derecho de adquisición preferente o derecho de prioridad si uno de ellos quiere vender. Trate de que el contrato de compra no se firme antes de transcurridos cinco años para que la apreciación pueda incorporarse al capital.

Ejemplo con tres socios:

Costo (complejo de 4 unidades): $600,000
Pago inicial requerido del 20% ($120,000)
Aporte de $40,000 de cada socio

Valor apreciado luego de cinco años a 3% de aumento anual. Multiplique el valor del año anterior por 1.03 para calcular el nuevo valor del año siguiente.

1.er año = $630,000   2.o año = $661,500
3.er año = $694,575   4.o año = $729,303
5.o año = $765,769
Apreciación total: $165,769 o
($165,769 / 3 = $55,256)

El aumento de la inversión de cada socio es $55,256, así como las deducciones del pago de intereses hipotecarios. El capital también se acumula a través de la reducción de la hipoteca de cada socio. Este ejemplo también debería demostrar un aumento en el patrimonio del estado financiero de cada socio.

Hay un beneficio intangible que es el orgullo de ser propietario. Todos deberían ser dueños de una parte de los bienes raíces del país. En Estados Unidos, es fácil de lograr. En la mayoría de los demás países es difícil ser propietario de inmuebles debido a los altos costos, las leyes o la inestabilidad de los gobiernos.

Compartir una casa

Como los precios de las viviendas superan a los salarios y como el matrimonio ya no es tan popular como en los años sesenta, las personas que no tienen relación de parentesco compran casas en conjunto. En la mayoría de las áreas residenciales, hasta cuatro personas no emparentadas pueden vivir en una misma casa (esto cambia según las ordenanzas municipales). Hay variaciones en las estrategias de compartir una casa. Todas las personas no emparentadas pueden ser propietarios. A cada propietario le corresponde una parte proporcional de la deducción del interés hipotecario, así como de la apreciación (ganancia) cuando se vende la casa. Una o más personas pueden ser propietarios de la casa y alquilar una habitación o dos. Si usted alquila una parte de la casa, esa parte se puede depreciar y se pueden deducir las facturas de servicios a efectos impositivos. También puede deducir la oficina que funciona en su casa, especialmente si es su único lugar de trabajo y si solo la usa para trabajar. Como siempre, consulte a su contador o especialista en impuestos todas las cuestiones asociadas con las amortizaciones y deducciones.

Vender su casa e invertir en propiedades para alquilar

Esta estrategia se implementa a una edad más avanzada. Quizás usted se mudó a una casa más grande y más cara con los años. Vender su casa, mudarse a una más pequeña y usar el capital excedente para comprar algunas propiedades para alquilar tiene sentido. Las leyes tributarias cambian, pero al momento de escribirse *El pequeño y poderoso libro sobre bienes raíces*, se excluían $500,000 de ganancias de los impuestos de una pareja por concepto de la venta de su residencia principal. Con esta estrategia, tendrá una linda casa con menos mantenimiento y, además, ingresos por alquileres. Esta modalidad tiene la ventaja adicional de evitar que sus hijos vuelvan a mudarse con usted.

Artículo 1031 del Código de Impuestos Internos (IRC) sobre el intercambio en especie

Si tiene una propiedad de inversión, puede venderla y comprar otra o "intercambiarla" y diferir impuestos. ¿No le parece genial? Compare esta transacción con las acciones. Si cambia acciones apreciadas por otras acciones, *deberá* pagar impuestos. Como ejemplo breve, y hay miles de variaciones sobre este tema, suponga que compró 5 acres por $50,000 y que los conservó durante diez años. Se amortizaron, pero no generaron ningún ingreso. Si vende la tierra por $100,000, pagará impuestos federales sobre la ganancia. Si vende la tierra aplicando la estrategia del artículo 1031 del IRC y compra propiedades para alquilar, no pagará impuestos. (Póngase en contacto con un intermediario habilitado para las transacciones según el artículo 1031 del IRC de su área para obtener más información).

Como puede ver, hay decenas de estrategias que se pueden implementar para aumentar su patrimonio a través de propiedades que generan ingresos. En las bibliotecas podrá encontrar libros con miles de ideas explicadas en mucho más detalle. *El pequeño y poderoso libro sobre bienes raíces* es solo un comienzo. Este libro es una manera de mostrarle lo sencillo que es salir adelante. También es una guía con suficiente información, aunque sin detalles ni términos complicados, que le permite empezar a invertir en bienes raíces. Y por último, *El pequeño y poderoso libro sobre bienes raíces* busca ilustrar cómo aumentar el patrimonio con paciencia y prácticas justas que los beneficien tanto a usted como a sus inquilinos.

En Internet encontrará calculadoras de inversión. También puede usar el siguiente enlace:

http://www.tannertax.com/financial-calculators.html

Las calculadoras muestran resultados diferentes, y a veces exagerados. Muchos inversores prefieren evaluar la propiedad con una comparación de precio por pie cuadrado con las propiedades similares de los vecindarios circundantes. Añaden el costo de las reparaciones y toman en cuenta el pago inicial requerido y la financiación. Ingresan todos los datos en una planilla y los analizan. ¿Tiene sentido hacer la compra? ¿Es asequible?

¿El ingreso cubre el total o buena parte del costo mensual? En la mayoría de los casos, el alquiler no cubrirá la hipoteca. ¿Pero sería aceptable que el inquilino pagara el 80% de la hipoteca y que el inversor solo tuviera que cubrir la diferencia? Recuerde que el inversor aún tiene esas deducciones de cuenta denominadas "depreciación" e "interés hipotecario." La apreciación de la propiedad ayuda mucho con el tiempo.

Tal como se muestra en el siguiente enlace, a esta generación (la generación Y) le irá peor que a la generación anterior (la generación X). Si esta generación no se involucra activamente en su futuro financiero, este directamente no existirá.

La posdata es aún más amenazante. Se llama "globalización." Buena suerte a la generación del milenio (la generación Y).

Google, "The Rise and Fall of Middle Class Wealth"

Gracias a los amigos
que revisaron este libro:

Dan Danser, universidad de Princeton, clase de 1969, por la corrección.

Jay Jacobson, exfuncionario del Banco Mundial, inversor en bienes raíces y fondos de inversión en bienes raíces.

John Rohl, de Castle Rock Financial Advisor e inversor en bienes raíces.

Brian Haddad, de Rivendell Property Management.

Eddie Ellington, educador, maestro e inversor en bienes raíces.

Un agradecimiento especial para Bill Tanner, que compiló mis declaraciones de impuestos de varios estados de los últimos veinte años. Tanner & Company desde 1947.

Calculadoras:

http://www.tannertax.com/financial-calculators.html

Sobre el autor

DAVE SE MUDÓ A LA "tierra de las oportunidades" en 1952 con su familia, procedente de Inglaterra. Luego de la secundaria, se unió al Cuerpo de Marines de Estados Unidos y tuvo un período de servicio en Vietnam. Cuando estaba en la universidad, compró su primera propiedad: 10 acres con una casa rodante. Luego de asegurarse un trabajo corporativo, siguió comprando casas, bloques de apartamentos y apartamentos. Dejó su trabajo corporativo y se jubiló a los 45 años. Tras cinco años como voluntario comunitario, ayudó a lanzar el sitio web www.ForRentByOwner.com en 1997, donde tiene el cargo de vicepresidente.

Es posible comunicarse con Dave, a quién le gustaría escuchar sus historias de éxito.

Contáctese con él a través de
DAW@ForRentByOwner.com
303-663-0000 MST

Acerca de la empresa a cargo de la traducción (Cesco Linguistic Services, Inc.)

Cesco Linguistic Services, Inc., con sede en Denver, Colorado, se formó en agosto de 2004 con el objetivo de actuar como nexo entre diversas lenguas y culturas. Con la calidad, eficacia y confidencialidad como sus principios rectores, Cesco se hizo rápidamente de una buena reputación como proveedor de servicios lingüísticos digno de confianza y entendido en la materia, especializado en idiomas de menor difusión. Con una capacidad para traducir e interpretar en más de 200 idiomas y con una amplia gama de servicios, entre ellos, traducción documental y de sitios web, así como interpretación presencial, por teléfono y vía remota, la misión de Cesco es contribuir a que las personas con conocimientos limitados de inglés que viven en los Estados Unidos tengan la misma oportunidad de acceder a los servicios e información que aquellas personas que dominan dicha lengua. Dicho interés específico, además de una estricta observancia al código deontológico y a las prácticas profesionales del sector y un compromiso con un servicio de calidad y responsable, ha llevado a que ya sean muchos los clientes, tanto del ámbito público como privado, así como organizaciones sin fines de lucro, que han elegido a Cesco como su proveedor de servicios lingüísticos preferido.

Si desea obtener más información, consulte http://www.cescols.com/companybrochure/, o comuníquese con Cesco directamente al +1 (303) 274-2634 o mediante el correo electrónico sitc@cescols.com.

CPSIA information can be obtained
at www.ICGtesting.com
Printed in the USA
BVHW091218170722
641971BV00001B/5

9 781943 650415